Unity [超] 入門

荒川巧也／浅野祐一

本書に関するお問い合わせ

この度は小社書籍をご購入いただき誠にありがとうございます。小社では本書の内容に関するご質問を受け付けております。本書を読み進めていただきます中でご不明な箇所がございましたらお問い合わせください。なお、お問い合わせに関しましては下記のガイドラインを設けております。恐れ入りますが、ご質問の際は最初に下記ガイドラインをご確認ください。

ご質問の前に

小社 Web サイトで「正誤表」をご確認ください。最新の正誤情報を下記の Web ページに掲載しております。

 本書サポートページ
https://isbn2.sbcr.jp/18223/

上記ページの「正誤情報」のリンクをクリックしてください。なお、正誤情報がない場合、リンクをクリックすることはできません。

ご質問の際の注意点

・ご質問はメール、または郵便など、必ず文書にてお願いいたします。お電話では承っておりません。
・ご質問は本書の記述に関することのみとさせていただいております。従いまして、○○ページの○○行目というように記述箇所をはっきりお書き沿えください。記述箇所が明記されていない場合、ご質問を承れないことがございます。
・小社出版物の著作権は著者に帰属いたします。従いまして、ご質問に関する回答も基本的に著者に確認の上回答いたしております。これに伴い返信は数日ないしそれ以上かかる場合がございます。あらかじめご了承ください。

ご質問送付先

ご質問については下記のいずれかの方法をご利用ください。

> **Webページより**
> 上記のサポートページ内にある「お問い合わせ」をクリックしていただくと、メールフォームが開きます。要綱に従って質問内容を記入の上、送信ボタンを押してください。
>
> **郵送**
> 郵送の場合は下記までお願いいたします。
>
> 〒106-0032
> 東京都港区六本木2-4-5
> SBクリエイティブ　読者サポート係

はじめに

　はじめまして。数あるUnity入門書から本書を手に取っていただきありがとうございます！

　本書は、プログラミング経験などがまったくない読者でもしっかりとUnityが学習できるように、1つひとつ丁寧にUnityでのコンテンツ制作で知っておきたいことをまとめた入門書になります。もしあなたが過去にUnityやプログラミングの経験がないとすれば、この本はあなたにとって良い選択肢だと言えるでしょう。

　本書内では、これまでUnityのプログラミングで使用されてきたC#というテキストベースのプログラミング言語は使わずに、ビジュアルスクリプティング（Visual Scripting）という、部品を繋ぐだけで簡単にインタラクティブなコンテンツが作れる機能を使って、3Dや2Dのコンテンツを制作していきます。ビジュアルスクリプティングは、Unity 2021で追加された比較的新しい機能になります。

　もちろん、Unityを使ってコンテンツ制作を行う際に知っておきたい、機能や操作、考え方についても基礎からわかりやすく解説しました。そのため、本のタイトルが「超入門」となっています。

　本書のChapter1では、Unityのインストール方法について解説しています。そして、Chapter2とChapter3で3Dコンテンツを作りながら、Unityエディターの使い方を学びます。Chapter3では初めてビジュアルスクリプティングに挑戦します。Chapter4では2Dゲームの制作方法について学び、Chapter5とChapter6ではサンプルのプロジェクトを確認しながら、ゲームなどの制作に役立つビジュアルスクリプティングの手法を学んでいきます。Chapter1からChapter6まで解説を読みながらしっかり手を動かせば、Unityでのコンテンツ制作方法が身につくこと間違いなしです。

　Unityの良いところは、制作した内容を瞬時に確認しながら、楽しくコンテンツ制作を行えることです。著者として、この書籍での学びも楽しみながら行っていただけるように考えて執筆しました。

　Unityはゲームに限らずさまざまな業界で使用されています。Unityを学ぶことは、読者の皆さまの可能性を広げるきっかけにもなるでしょう。

　最後に我々著者がUnityの入門書を書いて今年で10年目になります。この10年間、アップデートされていくUnityに合わせて入門書の内容も改良を加えてきました。このように10年間も書籍が出せるのは、Unityというツールに魅力があることはもちろんですが、新しい書籍を出すたびに手に取って購入していただける読者の皆さまや、出版に関わっていただけるさまざまな人たちのおかげだと思っております。今回もこのように新しいUnity入門書という形で書籍を出せたことに大変感謝いたします。この本を通して、Unityの魅力を知ってもらえたら大変うれしいです。

2023年9月

荒川巧也／浅野祐一

▌本書の構成

本書は、次の6つの章で構成されています。解説にしたがってコンテンツを制作しながら学習を進めていきましょう。

Chapter1 Unityを学習するための準備

Unityのインストールを行います。Unityの学習をはじめるための準備をしましょう。

Chapter2 Unityの基本操作を身につける

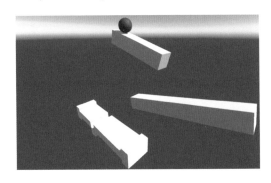

「玉転がし装置」を作りながら、Unityでコンテンツを制作する際の手順を学習していきます。オブジェクトの配置方法など、Unityエディターの基本操作を身につけましょう。

Chapter3 3Dコンテンツの制作

3Dコンテンツの制作を体験しましょう。この章では、ステージ上をキャラクターが動き回る「コイン拾い」を作ります。

Chapter4 2Dゲームの制作

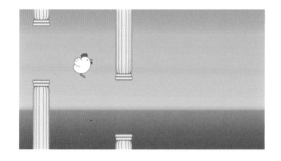

　2Dのゲーム「フライングバード」を制作します。本格的なビジュアルスクリプティングにもチャレンジしていきましょう。

Chapter5 ビジュアルスクリプティングの学習①

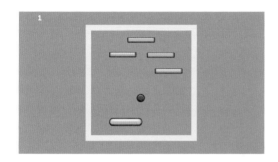

　「ブロック崩し」を例に、プレイヤーのキー操作やスコアの表示など、ゲーム制作に役立つビジュアルスクリプティングを学習しましょう。

Chapter6 ビジュアルスクリプティングの学習②

　「ニワトリ飛ばし」を例に、マウスクリックでプレイヤーを発射する方法など、Unityの機能をさらに活用するテクニックを紹介します。

▊ サンプルのプロジェクトの開き方

　本書に掲載したサンプルのプロジェクトや素材のファイルは、サポートページからダウンロードすることができます。以下のURLにアクセスしてください。

`URL` サンプルのダウンロード

https://www.sbcr.jp/support/4815617765/

サンプルのファイルはZIP形式で圧縮されています。展開して、任意のフォルダに保存しましょう。

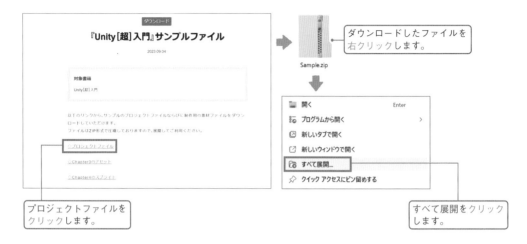

サンプルのプロジェクトは、Unity Hubから開きます（Unity Hubのインストールは、Chapter1をご確認ください）。

Unity Hubを起動して、開くをクリックしてプロジェクトのフォルダを選択しましょう。

プロジェクトを作成したUnityエディターと、インストールされているUnityエディターのバージョンが異なる場合は、次のような画面が表示されます。

インストールされているバージョンを選択して、202x.x.xxxで開くをクリックします（インストールされているバージョンによってボタンの表示は変化します）。

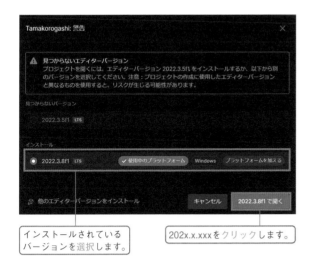

インストールされているバージョンを選択します。

202x.x.xxxをクリックします。

「エディターバージョンを変更しますか？」と表示されます。バージョンを変更をクリックして次に進みます。これでバージョンが変更されて、Unityエディターが起動します。

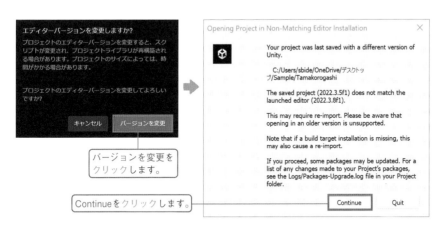

バージョンを変更をクリックします。

Continueをクリックします。

解説動画

サポートページで、各サンプルの制作手順の動画を公開しています。以下のURLにアクセスしてください。

 解説動画

https://www.sbcr.jp/support/4815617766/

Contents

\\Chapter 3\/

3Dコンテンツの制作 63

2Dゲームの制作 113

\\Chapter 5//

ビジュアルスクリプティングの学習① 171

\\ Chapter 6 //

ビジュアルスクリプティングの学習② 199

Chapter 1

Unityを学習するための準備

　本書では、コンテンツの制作を行いながら、Unityの使い方を学習していきます。
Unityは、学習を目的とするなら誰でも無料で使用することができます。今すぐ学
習をスタートしましょう。

　Chapter1では、学習の準備としてパソコンにUnityを導入しましょう。まずは、
アカウントの作成を行い、続けてUnity HubとUnityエディターのダウンロードと
インストールを行います。

01 Unityのアカウントの作成

Unityは、個人が学習を目的とする場合は**無料**で使用できます。パソコン（WindowsあるいはMac）とインターネット環境があれば、すぐに学習を開始できるのです。

Unityを使用するには、**アカウント**（Unity ID）が必要となります。アカウントの作成には、メールアドレスが必要なので、メールアドレスを準備したうえでアカウントの作成を行いましょう。

1 アカウントの作成を開始する

❶アカウントのアイコンをクリックします。

URL Unityの公式サイト

https://unity.com/ja

※アカウントはUnityの公式サイトから作成します。Webブラウザーで公式サイトを開いて、アカウントの作成を開始しましょう。

❷Unity IDを作成をクリックします。

2 アカウント情報の入力

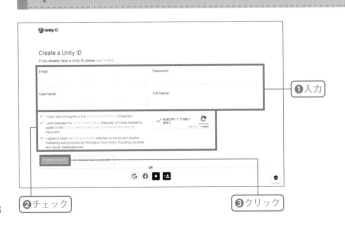

❶メールアドレスやパスワードなどを入力します。

❷チェックを入れます。

❸Create a Unity IDをクリックします。

※ロボットよけの質問が表示された場合は、画面にしたがって操作してください。

3 メールを確認してサインイン

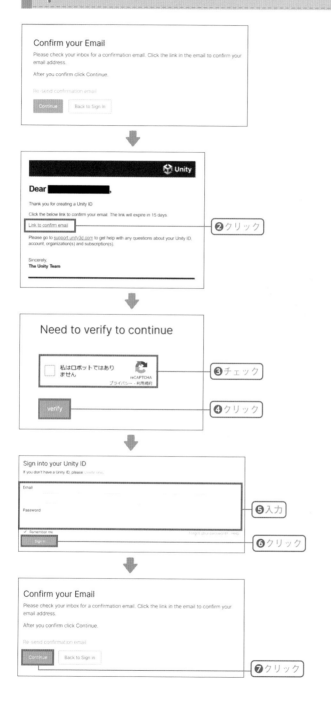

❶この画面が表示されたら、登録したアドレス宛てに確認のメールが送信されてきます。メールを開いて確認しましょう。

❷Link to confirm emailをクリックします。

❸私はロボットではありませんをチェックします。
❹verifyをクリックします。

❺メールアドレスとパスワードを入力します。
❻Sign inをクリックします。

※ここで入力するのは、Unityのアカウントのパスワードです。

❼Continueをクリックします。

※[Continue]をクリックするとアカウント画面が表示されます。これでWebブラウザーは閉じておいて大丈夫です。

19

02 インストーラーのダウンロード

Unityをインストールするためには、まずWebブラウザーを開いてUnityの公式サイトにアクセスし、**インストーラー**をダウンロードします。

Unityには有料版と無料版の**ライセンス**があります。今回は無料版のライセンスを使用するので、**学生および趣味の個人開発者をクリックして無料ライセンスの情報を開いてください**。

1 Unityの公式サイトを開く

❶プランと価格を確認するをクリックします。

URL Unityの公式サイト

https://unity.com/ja

2 インストーラーのダウンロード

❶学生および趣味の個人開発者をクリックします。

❷始めるをクリックします。

※今回は無料版のライセンスを使用するので、[学生および趣味の個人開発者]をクリックして無料ライセンスの情報を開いてください。

❸自分の使用環境に合わせたリンクをクリックします。

❸クリック

UnityHubSetup.exe

UnityHubSetup.d
mg.download

❹インストーラーがダウンロードされます。

Memo

無料版でもフルに機能が使える

　通常、ソフトウェアのライセンスとして有料版と無料版がある場合、無料版は有料版の一部の機能のみが使えたり、決められた期間のみ使用可能だったりするものが多いと思います。しかし、Unityの場合は無料版でも有料のライセンスと同じ機能が使え、さらに使用できる期間を制限されることもありません。無料版のUnityを使用してコンテンツを世の中にリリースすることも可能です。

　無料版には「学生」と「個人」のライセンスがあります。学生を選ぶと個人より幅広いメリットがありますが、教育機関の在学証明書の提出などの審査があります。

　有料版は、主に年間10万米ドル以上の収益のある個人かゲーム会社など、企業でコンテンツ制作を行うためにUnityを使用する場合に必要となるライセンスになります。なお、企業向けにはより開発のサポートをしっかり受けられるエンタープライズライセンスもあります。

03 Unity Hubのインストール

　ダウンロードしたインストーラーを実行して、**Unity Hub**（ユニティ ハブ）のインストールを行います。Unity Hubは、Unityエディター（ゲームなどのコンテンツを作成するためのツール）を管理したり、作成したコンテンツを管理するためのアプリケーションです。Unityエディターは、Unity Hubを使用してインストールします。

1 インストーラーを起動する

UnityHubSetup.exe

❶インストーラーを ダブルクリックします。

※ここでは Windowsへのインストールを行います、Macへのインストールは、30ページを確認してください。

2 ライセンスの確認

❶ライセンスを確認して、同意するをクリックします。

※Unity Hubをインストールする前に、Unityを使うためのライセンス契約書が表示されます。問題なければ [同意する] をクリックしましょう。

3 インストールの実行

❶インストール先のフォルダを指定します。
❷インストールをクリックします。

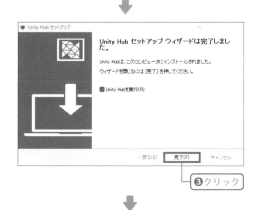

❸完了をクリックします。

❸クリック

❹Skip installationをクリックします。

※ [Install Unity Hub] からUnityエディターをインストールすることもできますが、今回は [Skip installation] をクリックしておきましょう。

❹クリック

Memo

 ## Unity Hubからサインインする

　本書の手順のように、アカウントの作成からUnity Hubのインストールへと続けて行った場合は、既にUnity Hubにサインインされた状態になっているはずです。

　サインインが行われていない場合は、Unity Hubの画面左上の人型のアイコンをクリックしてSign inを選択し、作成したアカウントでサインインを行ってください。

Sign inをクリックし、作成したアカウントでサインインします。

Unityエディターのインストール

Unity Hubから、**Unityエディター**をインストールします。Unity HubからはさまざまなバージョンのUnityエディターをインストールすることができますが、本書では、**推奨バージョン**をインストールして学習を行っていきます。

1　Unity Hubの表示を日本語にする

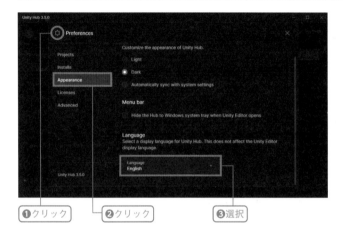

❶歯車のアイコンをクリックします。

❷Appearanceをクリックします。

❸「日本語」を選択します。

※Unity Hubは最初は英語で表示されています。作業しやすいように日本語表示に切り替えておきましょう。

2　Unityエディターのインストール

❶エディターをインストールをクリックします。

❷「推奨バージョン」のインストールをクリックします。

※ここでは「2022.3.5f1」を選択しています。推奨バージョンはインストールを行うタイミングで変化するので、最新のものを選択してください。

❸次へをクリックします。

※この画面では追加するモジュールを選択します。「Microsoft Visual Studio Community 2022」は本書では利用しませんが、ここではチェックしたままインストールを進めます。

❹利用規約を確認してチェックを入れます。

❺インストールをクリックします。

❻インストールの完了を待ちます。

Memo

🐤 Unityエディターのバージョン

Unityエディターには**長期サポート版**と**テックリリース版**が存在しています。

推奨バージョンは長期サポート版で、名前の後ろに**LTS**というマークが付けられています。LTSは「Long Term Support」と呼ばれ、パソコンのOSのバージョンアップやiOSやAndroidのバージョンアップへの対応、バグの対応など、2年間にわたってサポートが行われます。

一方、テックリリース版は最新機能が次々に追加されていくバージョンです。

Unityエディターは常にアップデートを繰り返しているツールなので、その時に合わせて最新版のエディターをインストールしてください。

3

Visual Studioのインストール

❶続行をクリックします。

※モジュールの追加で「Microsoft Visual Studio Community 2022」がチェックされた場合は、Visual Studioのインストールが行われます。

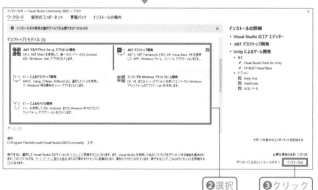

❷「.NETデスクトップ開発」「Unityによるゲーム開発」を選択します。

❸インストールをクリックします。

※ここで選択する項目は、スクリプト（プログラムコード）を使ってゲームを制作する際に必要となるものです。

❹×をクリックします。

※インストールが完了したら、Visual
Studioを終了してUnity Hubの画面
に戻ります。

❺インストールが完了しました。

※インストールされたUnityエディ
ターは、Unity Hubの［インストー
ル］から確認することができます。

モジュールを追加する

モジュールとはUnityエディターにさまざまな機能拡張を行うものです。スクリプトによるプログラミングを行うための「Visual Studio Community 2022」、iOSやAndroidなどの各プラットフォーム向けにビルドサポートできるツールを追加できます。

もしiOSやAndroidなどモバイル向けにコンテンツ制作を考えている場合は、各プラットフォーム対応のモジュールを追加しておきましょう。

追加するモジュール
をチェックします。

27

ライセンスを取得する

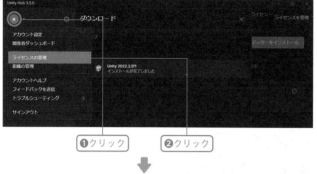

❶クリック ❷クリック

❶アカウントのアイコンをクリックします。

❷ライセンスの管理をクリックします。

※Unityを使用するためにはライセンスが必要です。ここでは無料で使用できる「Personal」のライセンスを取得します。

❸クリック

❸ライセンスを加えるをクリックします。

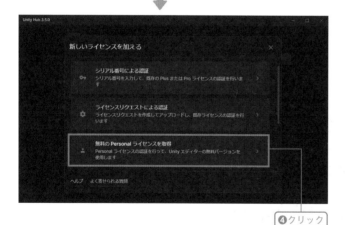

❹クリック

❹無料のPersonalライセンスを取得をクリックします。

28

❺同意して Personalのライセンス
を取得をクリックします。

❺クリック

❻ライセンスが登録されます。

Unity Technologiesが提供するツールやサービス

　Unityを提供するUnity Technologiesは、コンテンツを作成する環境からコンテンツの収益化まで、クリエイターを支援するツールやサービスを提供しています。Unity以外には、例えばオンラインコンテンツのゲームサーバーサービスの**Game Server Hosting**（Multiplay）や**Vixox**というボイスチャットやテキストチャットのシステムを提供しています。またコンテンツの収益化サービスとして**UnityAds**という広告配信サービス提供しています。

　Unity Technologiesがどのようなツールやサービスを提供しているか興味がある場合は、ぜひUnity Technologiesのホームページ（https://unity.com/ja）をのぞいてみてください。

Macへのインストール

　ここまではWindowsへのインストール方法を紹介しました。ここでは、MacにUnityをインストールする手順を解説します。Unityのアカウントを作成（18ページ）してから、Unityの公式サイトからMac用のインストーラーをダウンロードし、インストールを行います。

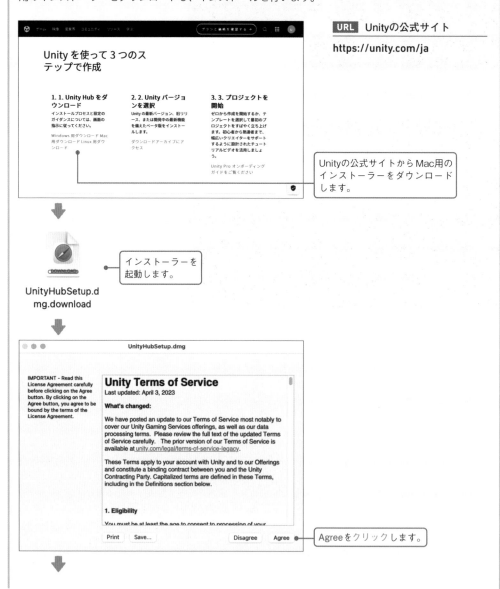

URL Unityの公式サイト

https://unity.com/ja

Unityの公式サイトからMac用のインストーラーをダウンロードします。

インストーラーを起動します。

UnityHubSetup.dmg.download

Agreeをクリックします。

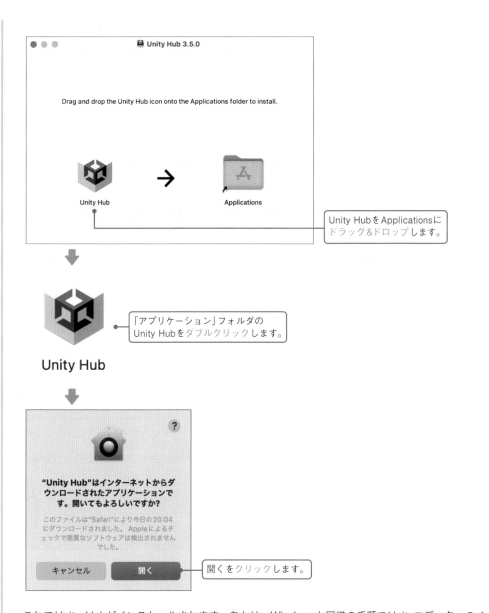

これでUnity Hubがインストールされます。あとは、Windowsと同様の手順でUnityエディターのインストールを行ってください。

Chapter 1 Unityを学習するための準備

05 Unityエディターの画面

　Unityエディターの操作方法については、Chapter2から詳しく解説していきます。ここでは概要について紹介します。

　Unityエディターは、さまざまな**ウィンドウ**や**ビュー**と呼ばれる画面によって構成されています。それぞれの役割を把握しておきましょう。

ヒエラルキーウィンドウ　シーンビュー　ゲームビュー

プロジェクトウィンドウ　コンソールウィンドウ　インスペクターウィンドウ

Unityエディターのレイアウト

　Unityエディターのウィンドウやビューの配置は、自由に設定することができます。あらかじめいくつかのパターンが用意されている他に、ウィンドウやビューのタブ部分をドラッグすることで、任意の位置に移動させることもできます。

　インスペクターウィンドウの右上にあるLayoutから、レイアウトのパターンを選択することができます。本書は「Default」のパターンで進めていきます。

▶▶ シーンビュー(Scene View)

ここで制作するコンテンツ (ゲームなど) の画面の編集を行います。オブジェクト (ゲーム内に配置するキャラクターなど) の位置や大きさを自在に設定できます。ビューの上部にあるSceneタブをクリックすると表示されます。

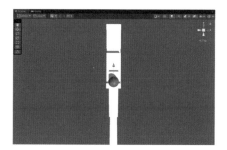

▶▶ ゲームビュー(Game View)

ここに表示された状態が、そのままコンテンツの表示画面となります。ビューの上部にあるGameタブをクリックすると表示されます。

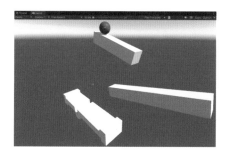

▶▶ ヒエラルキーウィンドウ(Hierarchy Window)

コンテンツ上に配置されているオブジェクトが表示されます。編集するオブジェクトをここで選択します。

▶▶ インスペクターウィンドウ（Inspector Window）

ヒエラルキーウィンドウで選択されたオブジェクトのデータが表示されます。位置や大きさ
をはじめ、さまざまなデータがここで編集可能です。インスペクターウィンドウで行った編集
内容は、シーンビュー上の表示に反映されます。

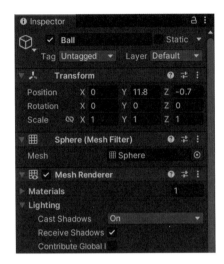

▶▶ プロジェクトウィンドウ（Project Window）

制作するコンテンツ内で使用する素材（画像や3Dモデル、音楽素材、UI素材など）を管理す
るウィンドウです。ウィンドウ上部のProjectタブをクリックすると表示されます。

▶▶ コンソールウィンドウ（Console Window）

スクリプトのエラーや設定などに問題があった場合に警告が表示されます。ウィンドウ上部
のConsoleタブをクリックすると表示されます。

Chapter 2

Unityの基本操作を身につける

Chapter2ではUnityの操作を体験しながら、シンプルな「玉転がし装置」を作ります。最初の一歩として、Unityの世界を体験するところから始めていきましょう。

Unityエディターに用意された素材を利用して、スロープの上を玉が転がっていく仕掛けを作ります。サンプルの制作を通じて、Unityでコンテンツを作る手順や、Unityエディターの基本的な使い方を学んでいきます。ここではまだプログラミングは必要ありません。積み木を積んでいく感覚で気軽に作っていきましょう。

01 新しいプロジェクトの作成

　最初に**プロジェクト**（Project）を作成しましょう。プロジェクトとは、キャラクターやサウンド、ゲームの設定など、さまざまなデータをまとめた1つの大きなフォルダのようなものです。Unityでは、作成するコンテンツごとにプロジェクトを用意します。プロジェクトはいくつかの項目を設定するだけで簡単に作成することができます。

　プロジェクトの作成は**Unity Hub**から行います。Unity Hubを起動して、プロジェクトの作成を開始してください。

 新しいプロジェクトを作成する

❶クリック　❷クリック

❶プロジェクトをクリックします。
❷新しいプロジェクトをクリックします。

 プロジェクト項目を設定する

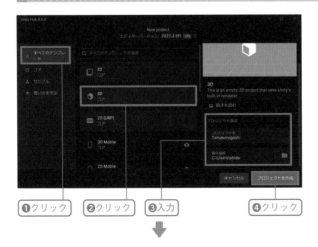

❶クリック　❷クリック　❸入力　❹クリック

❶すべてのテンプレートをクリックします。
❷3Dをクリックします。
❸プロジェクト名と保存場所を入力します。
❹プロジェクトを作成をクリックします。

プロジェクト名　Tamakorogashi
保存場所　任意のフォルダ

※プロジェクト名は不具合が起きないようにアルファベットでの作成を推奨します。

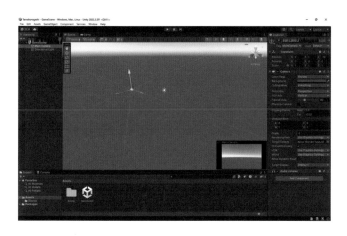

❺プロジェクトが作成され、Unity
エディターが起動します。

　プロジェクトの初期設定を細かく指定することもできますが、まずは本書の指示にしたがっ
て作業を進めていきましょう。制作に慣れてからいろいろと設定を変えてみて、自分なりにア
レンジを加えていくとよいでしょう。

　これで新規プロジェクトが作成されました！この状態から「玉転がし装置」を作成していき
ます。

玉転がし装置

　スロープの上を玉が転がり落ちていきます。スロープの角度や数、玉の色などは自由に変更すること
ができます。

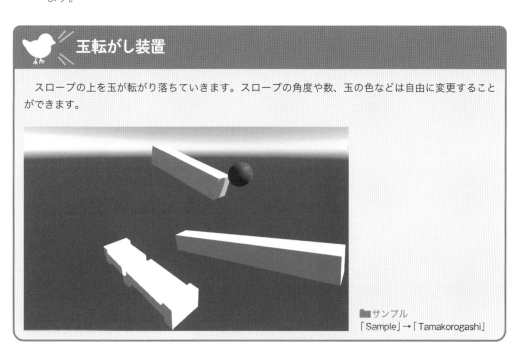

📁サンプル
「Sample」→「Tamakorogashi」

⓪2 シーンの作成

最初に行うことは**シーン**(Scene)の作成です。シーンとは制作するコンテンツ(ゲームなど)の1つの画面です。シーンには、オブジェクトの位置などの情報が保存されます。

プロジェクトを作成するとサンプルのシーン(SampleScene)も作成されますが、ここではシーンの理解を深めるために、新たに玉転がし装置用のシーンを追加していきます。

1 シーンを作成する

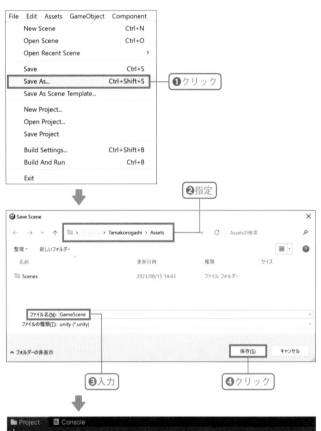

❶Unityのメニューから、File→Save Asをクリックします。

❷Assetsフォルダを指定します。
❸ファイル名を入力します。
❹保存をクリックします。

ファイル名 GameScene

※シーンは「Assets」フォルダに保存します。

❺プロジェクトウィンドウにシーンが追加されます。

シーンが保存されると、プロジェクトウィンドウにシーンのアイコンが追加されます。なお、プロジェクトウィンドウの右下のスライダーで表示されるアイコンのサイズを調整することができます。

制作の最中は予期せぬ不具合が起きる場合がありますので、シーンはこまめに保存するように習慣づけておきましょう。制作中のシーンの保存は、File→Saveメニューで行います。

シーンは、1つのプロジェクトのなかに複数作成することができます。シーンビューには、現在のシーンの様子が表示されています。

別のシーンに切り替えるには、プロジェクトウィンドウにあるシーンのアイコンをダブルクリックします。切り替えは、シーンを保存してから行うようにしましょう。

2 シーンビューの視点を調整する

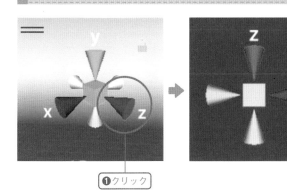

❶クリック

❶コーン部分をクリックします。
❷青いコーンが上、赤いコーンが右にくるように調整します。

※ゲームビューが表示されている場合は、左上の[Scene]タブをクリックしてシーンビューに表示を切り替えて作業を進めてください。

シーンギズモ

シーンビューの右上に表示されている**シーンギズモ**（Scene Gizmo）で、シーンビューの**視点**を変更することができます。コーン（円錐）部分をクリックすることで、視点の向きを90度ごとに動かして画面を確認することができます。

スロープや玉の配置を行う前に、シーンビューの視点を作業がやりやすいように調整しましょう。ここでは、シーンギズモのコーン部分をクリックして、青いコーン（Zの文字）が上、赤いコーン（Yの文字）が右にくるようにしています。

「Assets」フォルダ

アセット（Asset）は、プロジェクトにおけるさまざまなデータの最小単位です。キャラクターの3Dモデルや画像、音声素材もアセットです。制作に必要なアセットは、すべてプロジェクト内の**Assets**フォルダに保存します。

ゴール地点の作成

プロジェクトを作成すると、ヒエラルキーウィンドウとシーンビューにはMain Cameraと Directional Lightが1つずつ設置された状態になっています(プロジェクトの作成画面で「3D」が 選択されている場合です)。ここに、「玉転がし装置」に必要な**オブジェクト**を配置していきます。

最初に玉のゴール地点の**床**と**壁**を、Unityにあらかじめ用意されている**プリミティブ素材**の **Cube**を利用して作っていきましょう。

 ## ゴール地点の床を追加する

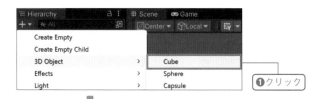

❶ヒエラルキーウィンドウで＋ → 3D Object→ Cubeを クリッ クします。

❶クリック

❷Cubeが追加されました。

Memo

🐥 ## オブジェクトとプリミティブ素材

ヒエラルキーウィンドウには、シーン内に配置する**オブジェクト**の一覧が表示されています。オブ ジェクトは、カメラ(Main Camera)やライト(Directional Light)をはじめ、キャラクター用の3Dモ デルや画面上に表示するテキストなどの総称です。なお、オブジェクトのことをUnity用語では**ゲームオ ブジェクト**(GameObject)と言います。

オブジェクトは、プロジェクトウィンドウからドラッグ&ドロップするか、ヒエラルキーウィンドウの 左上にある＋をクリックして追加します。ヒエラルキーウィンドウに追加されたオブジェクトは、シー ンにも配置されます。

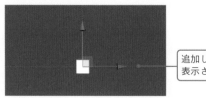

追加した「Cube」はシーンビューに 表示されます。

Unityエディターには、立方体や球体などのコンテンツの制作に使える「プリミティブ素材」が用意されています。3Dゲームのステージの作成などに便利なものなので、追加の仕方を覚えておきましょう。

 2 床のパラメータを設定する

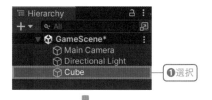

❶選択

❶ヒエラルキーウィンドウでCube
を選択します。

※設定するオブジェクトをクリック
で選択します。

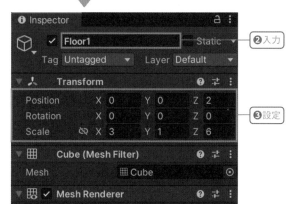

❷入力

❸設定

❷インスペクターウィンドウで名
前欄に「Floor1」と入力します。
❸ Position、Rotation、Scaleを設
定します。

名前	Floor1		
Position	X:0	Y:0	Z:2
Rotation	X:0	Y:0	Z:0
Scale	X:3	Y:1	Z:6

❹床が作成されました。

※ヒエラルキーウィンドウのオブ
ジェクトを右クリックして表示さ
れるメニューから[Delete]を選択
すれば、消去することができます。

 視点を任意に調整する

Alt キー（Macでは option キー）を押しながらシーンビュー上でマウスをドラッグすることで、視点を任意に調整することができます。視点を変えながらオブジェクトを確認しましょう。

Chapter 2　Unityの基本操作を身につける

41

オブジェクトの設定

　ここではオブジェクトの**名前**と、**Position**（位置の情報）、**Rotation**（回転の情報）、**Scale**（大きさの情報）の項目を設定しています。ヒエラルキーウィンドウで設定するオブジェクトを選択して、インスペクターウィンドウでパラメータを設定します。

　インスペクターウィンドウで設定したオブジェクトの名前が、ヒエラルキーウィンドウにも反映されます。オブジェクトは後から識別しやすいように名前を付け替えましょう。

オブジェクトの名前を変更します。

ヒエラルキーウィンドウ上の名前も変更されます。

　Positionはオブジェクトの位置、Rotationはオブジェクトの角度、Scaleはオブジェクトの大きさを表すパラメータです。それぞれ「X」「Y」「Z」軸の値を設定できます。ここで設定した位置や角度、大きさは、そのままシーンビュー上の表示にも反映されます。

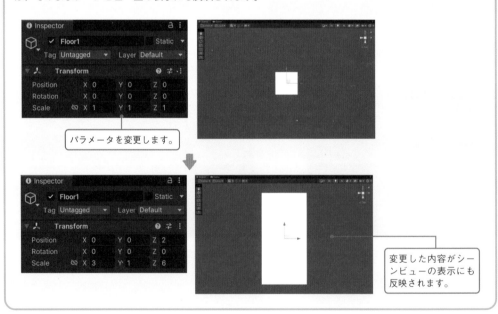

パラメータを変更します。

変更した内容がシーンビューの表示にも反映されます。

3 床を追加する

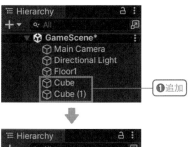

❶追加

❷設定

❶Cubeを2つ追加します。

※同じオブジェクトを追加した場合、「(1)」「(2)」のように連番で名前が設定されます。

❷名前をそれぞれ「Floor2」「Floor3」と設定します。

名前	Floor2
名前	Floor3

4 「Floor2」のパラメータを設定する

❶選択

❷設定

❶Floor2を選択します。

❷Position、Rotation、Scaleを設定します。

Position	X:0 Y:0 Z:8
Rotation	X:0 Y:0 Z:0
Scale	X:3 Y:1 Z:4

❸Floor2が追加されました。

Floor2

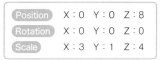

5 「Floor3」のパラメータを設定する

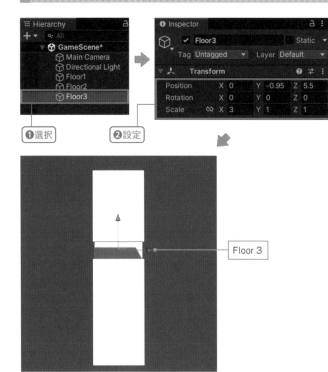

❶選択　❷設定

Floor 3

❶ Floo3 を選択します。

❷ Position、Rotation、Scaleを設定します。

Position	X：0　Y：-0.95　Z：5.5
Rotation	X：0　Y：0　Z：0
Scale	X：3　Y：1　Z：1

❸ Floor3 が追加されました。

Memo

マウスで位置や大きさを設定する

　オブジェクトの「位置」「角度」「大きさ」は、シーンビュー上でマウスを使って設定することもできます。
　シーンビュー上のツールバーで**Move Tool**を選択して、オブジェクトに重なって表示される矢印をドラッグすることで、ドラッグした方向にオブジェクトを移動することができます。同様に**Rotate Tool**でオブジェクトの角度、**Scale Tool**でオブジェクトの大きさを変更できます。シーンビュー上で変更した内容は、インスペクターウィンドウにも反映されます。

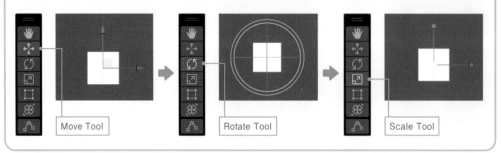

Move Tool　Rotate Tool　Scale Tool

6 ゴール地点の壁を追加する

❶設定

❷設定

❸選択　❹設定

❺選択　❻設定

❶Cubeを2つ追加します。

❷名前をそれぞれ「Wall1」「Wall2」と設定します。

| 名前 | Wall1 |
| 名前 | Wall2 |

❸Wall1を選択します。

❹Position、Rotation、Scaleを設定します。

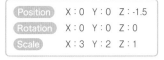

Position	X:0 Y:0 Z:-1.5
Rotation	X:0 Y:0 Z:0
Scale	X:3 Y:2 Z:1

❺Wall2を選択します。

❻Position、Rotation、Scaleを設定します。

Position	X:0 Y:0 Z:10
Rotation	X:0 Y:0 Z:0
Scale	X:3 Y:2 Z:1

❼ゴール地点が完成しました。

※視点を変えながらオブジェクトを確認しましょう。

Memo

シーンビューの表示位置を変更する

　ツールバーで**View Tool**を選択してシーンビュー上をマウスでドラッグすると、表示位置が**平行移動**します。Alt キー（Macでは option キー）を押しながらドラッグすると、視点が**回転**します。マウスホイールやスライドパッドで、**拡大・縮小**表示することも可能です。

　また、ヒエラルキーウィンドウでオブジェクトをダブルクリックすると、そのオブジェクトがシーンビューの中央に表示されます。

　表示位置を変更しながら、オブジェクトの配置を確認していきましょう。

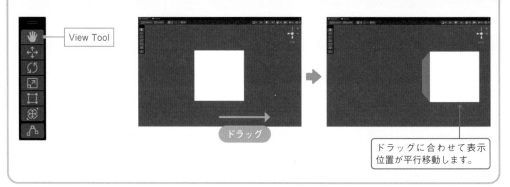

View Tool

ドラッグ

ドラッグに合わせて表示位置が平行移動します。

Memo

シーンビューの表示モード

　シーンギズモの中央の立体部分をクリックすると、**Isometric Mode**（正射影：遠くのものもそのままの大きさで表示する）と**Perspective Mode**（透視射影：遠くのものは小さく、近くのものは大きく表示する）が切り替わります。

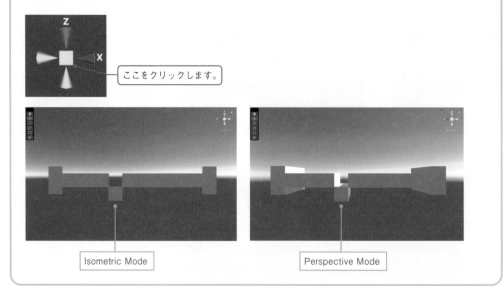

ここをクリックします。

Isometric Mode

Perspective Mode

カメラの調整

ここまで制作したシーンが、プレイ画面でどのように見えるか確認しましょう。プレイ中にどう見えるかは、**ゲームビュー**で確認することができます。

シーンビューの上部にあるGameタブをクリックして、シーンビューからゲームビューに表示を切り替えてみてください。現在の状態では、中央に白い何かが表示されていますが、よくわからない感じになっていますね。

ゲームビューがこのように表示されてしまうのは、シーンを撮影している**カメラ**がおかしな位置にあることが原因です。プロジェクトを作成した際にヒエラルキーウィンドウに最初から存在していた **Main Camera**が、まさにこのカメラの機能になります。カメラの位置や角度を調整して、ゴール地点が正しく画面に映るようにします。

 プレイ画面を確認する

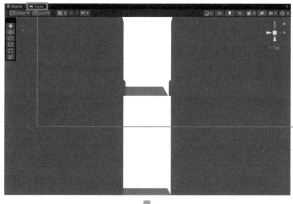

❶Gameをクリックします。

❷ゲームビューに表示が切り替わります。

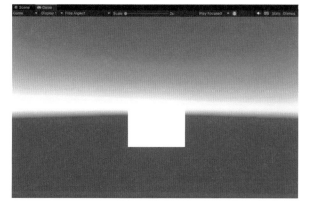

カメラの位置や角度を調整する

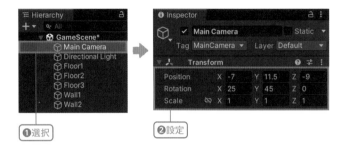

❶選択　❷設定

❶ヒエラルキーウィンドウでMain Cameraを選択します。

❷インスペクターウィンドウでPosition、Rotation、Scaleを設定します。

Position	X：-7　Y：11.5　Z：-9
Rotation	X：25　Y：45　Z：0
Scale	X：1　Y：1　Z：1

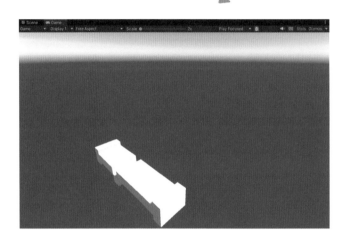

❸カメラの位置と角度が調整されました。

　これでカメラの見た目が調整されてゴール地点が見えるようになりました。

　カメラの位置や角度を調整することで、見た目の印象が大きく変わります。ここでは臨場感を出すために斜めから見た視点で制作を進めていきますが、慣れてきたらいろいろな位置や角度を試して、見栄えのよいポイントを見つけてください。

ライトの調整

　プロジェクトを作成すると、ヒエラルキーウィンドウにMain CameraとDirectional Lightが最初から存在します。**Directional Light**は、シーン上のオブジェクトを照らす**ライト**です。Directional Lightも位置や角度などを設定することができます（仕様上、位置を変えても見た目の変化はありません）。ライトの種類、光の色や強さなども自在に設定することができます。

　カメラとライトの組み合わせで、プレイ画面の見た目が大きく変わります。いろいろと試してみましょう。

48

Typeでライトの種類を選択できます。

Colorで光の色を設定できます。

Intensityで光の強さを設定できます。

Shadow Typeで影を設定できます。

Memo

🐦 ウィンドウの再表示

　ヒエラルキーウィンドウやシーンビューは、位置を変更したり、表示を消すことができます。Unityエディターの操作に慣れていない場合は、身に覚えなくウィンドウを消してしまうことがあります。

　その場合は、Window→Generalメニューから、再表示させたいウィンドウを選択してください。例えば、ゲームビューを再表示させたい場合はGameを選択します。

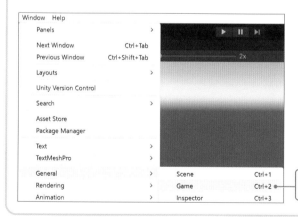

Gameを選択すれば、ゲームビューが再表示されます。

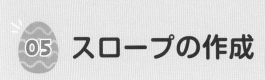

05 スロープの作成

　ゴール地点が完成したので、次は玉を転がすための**スロープ**を作成しましょう。ゴール地点と同様に、プリミティブ素材の**Cube**を使って作成します。なお、作業の前に画面はシーンビューに戻しておきましょう。

1 画面をシーンビューに戻す

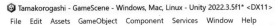

❶Sceneをクリックします。

※ゲームビューで確認した後は、シーンビューに戻しましょう。

2 スロープを追加する

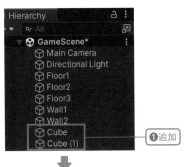

❶クリック

❶Cubeを2つ追加します。

※「Cube」の追加は40ページ、名前の設定は41ページを参照してください。

❶追加

❷名前をそれぞれ「Slope1」「Slope2」と設定します。

❷設定

3 スロープのパラメータを設定する

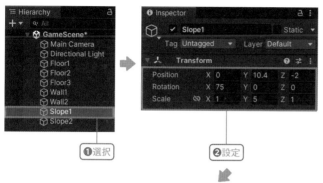

❶選択

❷設定

❶ヒエラルキーウィンドウでSlope1を選択します。

❷インスペクターウィンドウでPosition、Rotation、Scaleを設定します。

Position　X：0　Y：10.4　Z：-2
Rotation　X：75　Y：0　Z：0
Scale　　　X：1　Y：5　Z：1

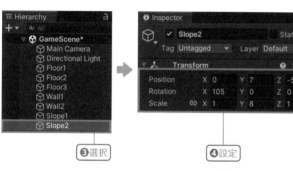

❸選択

❹設定

❸ Slope2 を選択します。

❹ Position、Rotation、Scaleを設定します。

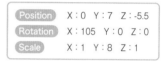

Position　X：0　Y：7　Z：-5.5
Rotation　X：105　Y：0　Z：0
Scale　　　X：1　Y：8　Z：1

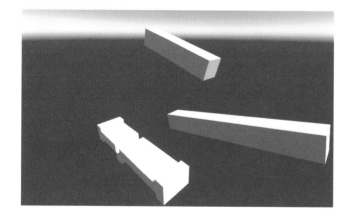

❺玉転がし装置のステージが完成しました。

　プレイ時の見た目を確認してみましょう。Gameタブをクリックしてゲームビューに切り替えます。確認が終わったらSceneタブをクリックしてシーンビューに戻しておいてください。

　スロープの位置などは自由に設定することができますが、まずは本書の設定にしたがって作成してみましょう。操作に慣れたら、いろいろとアレンジしてみるとよいでしょう。

06 玉の作成

玉転がし装置のステージができあがりました。あとは、スロープの上を転がす**玉**を作成すれば完成です。

ここまではプリミティブ素材のCubeを利用してきました。プリミティブ素材にはCube以外にもいくつか単純な形状の素材が用意されています。ここからは、そのなかの1つである**Sphere**を使用して玉を作っていきます。

1 玉を追加する

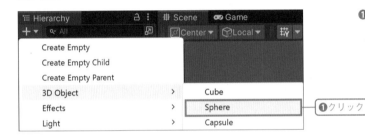

❶ヒエラルキーウィンドウで＋→3D Object→Sphereをクリックします。

2 玉のパラメータを設定する

❶ヒエラルキーウィンドウでSphereを選択します。

❷インスペクターウィンドウで名前欄に「Ball」と入力します。

❸Position、Rotation、Scaleを設定します。

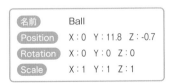

名前	Ball
Position	X：0　Y：11.8　Z：-0.7
Rotation	X：0　Y：0　Z：0
Scale	X：1　Y：1　Z：1

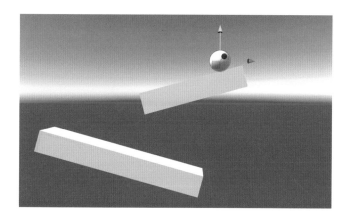

❹スロープの一番上に玉が追加されます。

3 玉の動きを確認する

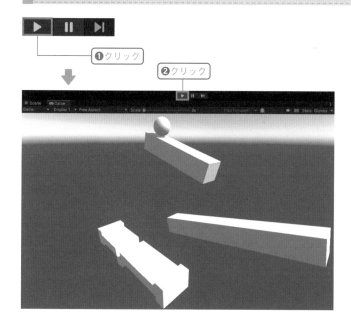

❶Playをクリックします。

❷動作を確認できたら、Playを再度クリックします。

※［Play］をクリックすると実行されます。実行中に［Play］をクリックすると終了します。動作を確認できたら、忘れずに終了するようにしましょう。

　玉を追加できたので、さっそく転がるかを確認してみましょう。シーンビューの上にある**操作ツール**のPlayをクリックしてみてください。操作ツールから、制作中のコンテンツを実行することができます。一時停止やコマ送りを行うこともできます。

　さて、ボールは転がるでしょうか・・・？　あれ？何も動きがありませんね。

Chapter 2　Unityの基本操作を身につける

❶クリック

❷クリック

07 物理挙動の設定

現在の状態では、実行しても玉は転がらず、スロープの上で停止したままになってしまいます。なぜ転がらないのでしょうか？

実は、Unityでは「玉を転がす」や「箱を落下させる」といった物理的な動作をさせるには、もう1つ設定しないといけないものがあります。それは**リジッドボディ**（Rigidbody）というコンポーネントです。

リジッドボディはオブジェクトに**物理挙動**の機能を持たせるためのものです。リジッドボディが設定されているオブジェクトは、物理の法則にしたがって動作をするようになります。つまり重力の影響を受けて落下するようになります。この機能を玉に持たせることでスロープを転がるようにしていきます。

 ## リジッドボディを追加する

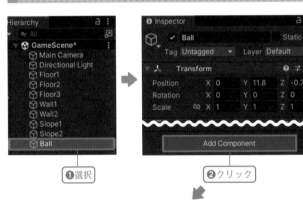

❶ヒエラルキーウィンドウでBallを選択します。

❷インスペクターウィンドウでAdd Componentをクリックします。

※[Add Component]はインスペクターウィンドウの一番下にあります。

❸Physics→Rigidbodyをクリックします。

※[Play]をクリックして実行中に行った編集内容は、再度[Play]をクリックして終了した際に無効になります。編集作業は、必ず実行を終了してから行ってください。

❹インスペクターウィンドウに
　Rigidbodyコンポーネントが追
　加されます。

玉の動きを確認する

❶クリック

❶Playをクリックします。

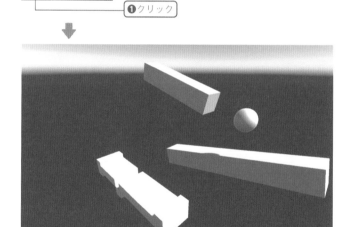

❷玉がスロープを転がっていきま
　す。

※確認できたら再度［Play］をクリック
　して終了しましょう。

コンポーネントとアタッチ

　玉にリジッドボディが追加されました。これで玉が重力の影響を受け、スロープに沿って転がり落ちる
ようになります。なお、このようにオブジェクトにコンポーネントを追加することを**アタッチ**と言います。
　コンポーネントは、オブジェクトの機能を意味します。オブジェクトにコンポーネントをアタッチす
ることで、さまざまな機能を追加することができます。プリミティブ素材などのオブジェクトには、最
初からコンポーネントがアタッチされているものもあります。アタッチされているコンポーネントはイ
ンスペクターウィンドウで確認できます。

コライダーによる当たり判定

シーン上に配置されたCubeなどのオブジェクトは、バーチャル世界のなかで実体を持った存在として認識されます。玉転がし装置では、玉がスロープに沿って転がっていくところが確認できますが、これはUnityがスロープ（Cube）と玉（Sphere）を実体としてとらえ、それらの間で**当たり判定**を行ってくれているからです。そのうえで、玉は**重力**にしたがってスロープを転がっていきます。

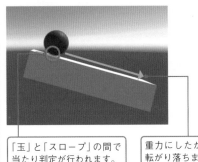

「玉」と「スロープ」の間で当たり判定が行われます。

重力にしたがって転がり落ちます。

Unityでは、**コライダー**（Collider）というコンポーネントでオブジェクト同士の当たり判定を行っています（実際は形状に合わせたBox ColliderやSphere Colliderなどのコンポーネント名になります）。それぞれのオブジェクトにコライダーをアタッチすることで、Unityが自動的に当たり判定を行ってくれます。キャラクター同士がぶつかったり、攻撃がヒットしたりといった判定も行ってくれるので、ゲームを作る際にはとても役に立ちます。

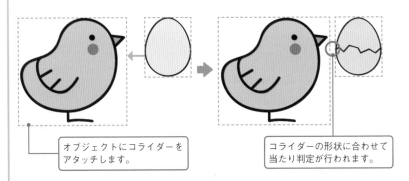

オブジェクトにコライダーをアタッチします。

コライダーの形状に合わせて当たり判定が行われます。

コライダーのコンポーネントは後からアタッチすることもできますが、CubeやSphereなどのプリミティブ素材には、あらかじめオブジェクトの形状に合わせたコライダーが用意されています。Cubeには箱型の**Box Collider**、Sphereには球状の**Sphere Collider**がアタッチされています（インスペクターウィンドウで確認することができます）。この他にもさまざまな形状な形状のコライダーが用意されています。

08　跳ね方の調整

　実行して玉の動きを見てみると、スロープから落下した玉が床や壁に当たった際に、跳ね返らずに吸い付いたような動きをすることが確認できます。ですが、現実の世界では玉が地面に当たるとバウンドすることがあります。現実の動きと同じようにしたいですね。

　この設定をするには、**物理マテリアル**（Physic Material）というアセットを使います。物理マテリアルをオブジェクトのコライダー（Collider）の設定に加えることで、オブジェクト同士が接触した際の**摩擦**や**反発**を設定することができます。

 物理マテリアルを追加する

❶プロジェクトウィンドウでAssetsフォルダを選択します。

❷＋をクリックします。

❸Physic Materialをクリックします。

 物理マテリアルのパラメータを設定する

❶プロジェクトウィンドウでNew Physic Materialを選択します。

※物理マテリアルのパラメータはインスペクターウィンドウで設定します。

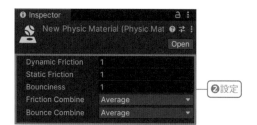

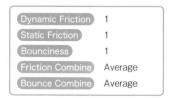

❷パラメータを設定します。

Dynamic Friction	1
Static Friction	1
Bounciness	1
Friction Combine	Average
Bounce Combine	Average

3 オブジェクトに適用する

❶ヒエラルキーウィンドウでBall を選択します。

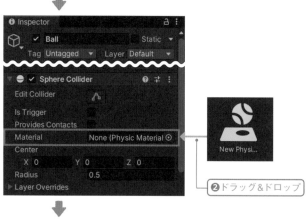

❷プロジェクトウィンドウのNew Physic Material をインスペク ターウィンドウのMaterialにド ラッグ&ドロップします。

※プロジェクトウィンドウの物理マテ リアルを、オブジェクトにアタッチ されたコライダーの [Material] にド ラッグ&ドロップします。[Material] に登録することで、オブジェクトに 物理マテリアルが適用されます。

　Playをクリックして、玉を動かしてみましょう。スロープから落下した玉が跳ね上がるのが 確認できるはずです。

　物理マテリアルのパラメータを変更すれば、跳ね上がる高さやスピードが変化します。いろ いろと試してみてください。

物理マテリアルのパラメータ

物理マテリアルを利用することで、オブジェクト同士の摩擦や反発を表現することができます。

ひとくちに「摩擦」と言っても、氷のようにツルツルの表面を滑っていく状態から、逆にザラザラでまったく滑らない状態までいろいろですが、**摩擦係数**のパラメータを設定するだけで簡単に表現することができます。**反発係数**を設定すれば、ボールが床や壁に当たって弾む様子を表現することができます。

物理マテリアルのパラメータ

Dynamic Friction	動いている状態にあるオブジェクトの摩擦係数
Static Friction	静止している状態にあるオブジェクトの摩擦係数
Bounciness	反発係数
Friction Combine	オブジェクトがぶつかった際の摩擦係数の計算方法
Bounce Combine	オブジェクトがぶつかった際の反発係数の計算方法

オブジェクトの複製・削除

ヒエラルキーウィンドウに配置したオブジェクトは、**複製**することができます。オブジェクトに対して行った設定ごと複製できるので、同じものを手軽に増やすことができます。

オブジェクトを複製するには、ヒエラルキーウィンドウ上でオブジェクトを右クリックして、表示されるメニューからDuplicateを選択します。複製されたオブジェクトは「Ball（1）」のように名前に連番が付きます。識別しやすいように名前を変更しておきましょう。

また、ヒエラルキーウィンドウに配置したオブジェクトを**削除**する場合は、右クリックで表示されるメニューからDeleteを選択してください。

09 色の設定

　ここまで作成してきた玉転がし装置の見た目は、グレー1色になっています。これでは少し寂しいですね。玉の色を変更して、見た目をもう少しリッチにしてこの章を終えたいと思います。

　オブジェクトの見た目を変更するには、**マテリアル**（Material）というアセットを利用します。マテリアルはオブジェクトの見た目を設定するためのアセットで、オブジェクトの色を変更したり、表面の質感を設定することが可能になります。

 マテリアルを追加する

❶プロジェクトウィンドウでAssetsフォルダを選択します。

❷＋をクリックします。

❸ Materialをクリックします。

 色を変更する

❶プロジェクトウィンドウでNew Materialを選択します。

※マテリアルのパラメータはインスペクターウィンドウで設定します。

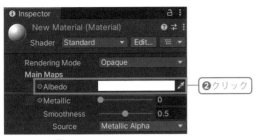

❷クリック

❸設定

❷インスペクターウィンドウで
Albedoの白い部分をクリックし
ます。

❸色を設定します。

R	255
G	0
B	0
A	255

※色を設定したら「Color」ウィンドウ
　は閉じてしまって大丈夫です。

3 オブジェクトに適用する

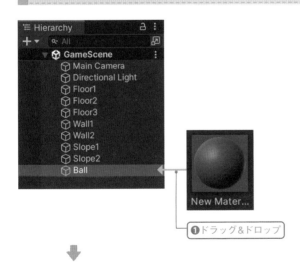

❶ドラッグ&ドロップ

❶プロジェクトウィンドウのNew
　Materialをヒエラルキーウィン
　ドウのBallにドラッグ&ドロッ
　プします。

※プロジェクトウィンドウのマテリア
　ルをヒエラルキーウィンドウのオブ
　ジェクトにドラッグ&ドロップする
　と、マテリアルが適用されます。
　シーンビュー上のオブジェクトにド
　ラッグ&ドロップすることでも、同
　様にマテリアルを適用させることが
　できます。

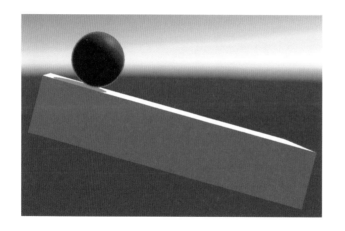

❷玉の色が変更されました。

　玉がマテリアルに設定した色に変更されました。プロジェクトウィンドウのマテリアルの色の設定を変更すると、適用されたオブジェクトも合わせて変化します。

　マテリアルは色だけではなく、「メタリック」などの質感を設定することもできます。簡単に見た目を変えることができるので、是非利用してみてください。

完成

　「玉転がし装置」が完成しました。オブジェクトを配置してパラメータを調整しただけですが、それだけでもリアルな挙動をしてくれます。

　ヒエラルキーウィンドウにオブジェクトを追加して、**インスペクターウィンドウ**でパラメータを設定するというのがUnityエディターの基本的な操作です。オブジェクトに物理的な動きを加える**リジッドボディ**、当たり判定を行う**コライダー**、摩擦や反発を設定する**物理マテリアル**、オブジェクトの見た目を設定する**マテリアル**など、Unityの特徴と言える機能も出てきました。いずれも設定を変更するだけで、簡単に動きや見た目を変えることができます。より自分らしい作品ができるように、いろいろとチャレンジしてみましょう。

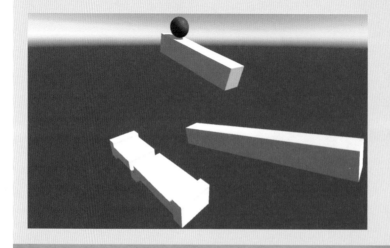

Chapter 3

3Dコンテンツの制作

　Chapter3では、3Dコンテンツ制作の作業の流れを学んでいきます。この章では昨今のコンテンツ制作において欠かせない機能であるビジュアルプログラミングにも触れていきます。プログラムと聞くと難しいと感じる方もいると思いますが、Unityに搭載されているこの機能はプログラミング教育の現場で採用されるほど、入門者向けの簡単なデザインになっているので、安心して取り組んでください。

　Unityを使用してゲームを作りたいと思っている方も、ゲーム以外のコンテンツを作ろうと思っている方も、誰もが学んでおくべきテクニックに触れていきましょう。

01 新しいプロジェクトの作成

　最初に、新しい**プロジェクト**を作成しましょう。Chapter2のプロジェクトを開いたままの場合は、一度Unityエディターを終了してください。

　Unity Hubを起動して、新しいプロジェクトを作成します。テンプレートは「3D」を、プロジェクト名と保存場所は任意で構いません。本書ではプロジェクト名を「HiyokoWalk」としています。

1 新しいプロジェクトを作成する

❶クリック　　❷クリック

❶プロジェクトをクリックします。
❷新しいプロジェクトをクリックします。

2 プロジェクト項目を設定する

❶クリック　❷クリック　❸入力　❹クリック

❶すべてのテンプレートをクリックします。
❷3Dをクリックします。
❸プロジェクト名と保存場所を入力します。
❹プロジェクトを作成をクリックします。

プロジェクト名	HiyokoWalk
保存場所	任意のフォルダ

※プロジェクト名は不具合が起きないようにアルファベットでの作成を推奨します。

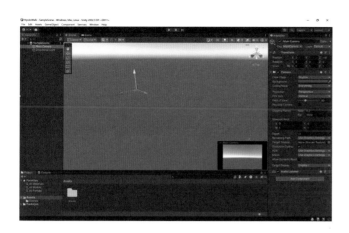

❺プロジェクトが作成され、Unity
エディターが起動します。

　　これで新規プロジェクトが作成されました！この状態から3Dコンテンツを制作していきます。Chapter3では「コイン拾い」を制作します。

コイン拾い

　　ステージ上に配置されたヒヨコをキー操作で動かして、コインを拾い集めていきます。コインを回転する仕組みも用意しましょう。

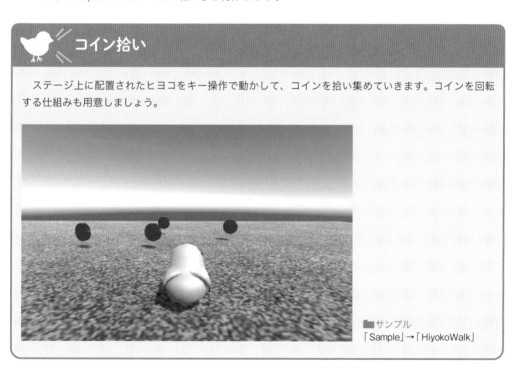

📁サンプル
「Sample」→「HiyokoWalk」

アセットのインポート

ステージ上に配置するプレイヤー（ヒヨコ）を用意しましょう。プレイヤー用の3Dモデルは、**アセット**として事前に用意したものを使用していきます。アセットは、本書のサポートページからダウンロードしたものをUnityに**インポート**します。

1 アセットのダウンロード

❶クリック

❶Webブラウザーでサポートページを開きChapter3のアセットをクリックします。

URL サポートページ ━━━━━━

https://www.sbcr.jp/support/4815617765/

※「HiyokoAssets.zip」ファイルがダウンロードされます。

2 ファイルを解凍する

HiyokoAssets.zip

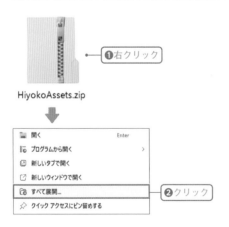

❶右クリック

❷クリック

❶ダウンロードしたファイルを右クリックします。
❷すべて展開をクリックします。

※「HiyokoAssets.unitypackage」というファイルがここで使用するアセットです。

UnityPackage

ここで使用するキャラクターのアセットは、**UnityPackage**形式のファイルになっています。UnityPackageは、Uniyにインストールできるように調整されたデータの形式です。後述するアセットストアからダウンロードするアセットも、UnityPackage形式のデータが使われています。

3 アセットのインポート

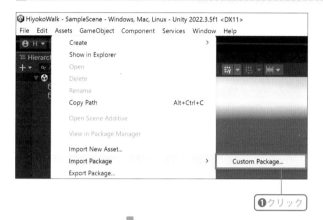

❶Unityのメニューから、Assets→Import Package→Custom Packageをクリックします。

❶クリック

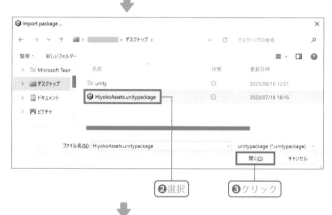

❷HiyokoAssets.unitypackageを選択します。

❸開くをクリックします。

❷選択　**❸クリック**

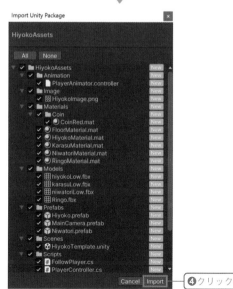

❹Importをクリックします。

※特に何も設定せずに（すべてのチェックボックスがチェックされている状態で）[Import] をクリックしてください。

❹クリック

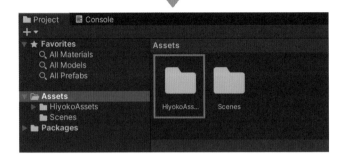

❺「Assets」フォルダにHiyokoAssets が追加されました。

プロジェクトウィンドウの「Assets」フォルダに、「HiyokoAssets」という名前のフォルダ が作成されていれば正しくインポートできています。

Memo

🐦 **どうやって作るかを考えてみる**

　ここからはインポートしたアセットを活用して簡単な「コイン拾い」を作りましょう。プレイヤー（ヒヨコ）がステージ上を駆け回り、コインを集めるという遊びです。

　さて、コイン拾いを作ると言っても、Unity上でどうやって再現するかわからないと手をつけることができませんね。どんなコンテンツを作るにせよ、作りたいと頭に浮かべたものをUnity上で再現するためには、それがどういう要素なのかを1つひとつ紐解いていく必要があります。

　これから作るのは「コインを拾う」という遊びなので、まず**コイン**が必要です。また、コインを拾うという行動をするための**プレイヤー**も必要になります。そして、プレイヤーが動き回れる**ステージ**はもちろん必要です。それらを作成した後に、「**ステージ内にコインを散りばめる**」と完成しそうです。

　コインを拾うという行動についてはもう少し深掘りが必要です。まず「拾う」という行為は何なのかを考えます。これは「コインのオブジェクトにプレイヤーが触れた場合にコインを消滅させること」と定義しましょう。この場合は「**プレイヤーがコインに触れた**」という判定を行って、触れていた場合に「**コインを消去させる**」という一連の動作が必要になります。

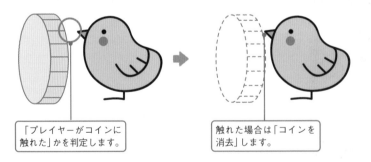

「プレイヤーがコインに触れた」かを判定します。

触れた場合は「コインを消去」します。

　このように、「何かを判定する」「オブジェクトを消滅させる」というアクションを実装するためにはプログラミングが必要です。この部分は後述する**ビジュアルスクリプティング**の仕組みを利用しましょう。

03 シーンの作成

まず、コイン拾いを作るための**シーン**を用意します。新しいシーンを作成してそこから作ることもできますが、今回はダウンロードしたアセットのシーンを流用して作り始めます。

1 サンプルのシーンを読み込む

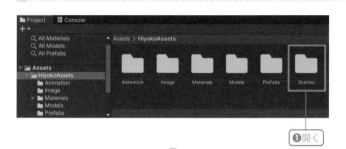

❶Assets→HiyokoAssets→
Scenesフォルダを開きます。

❶開く

❷HiyokoTemplate.unityをダブル
クリックします。

❷ダブルクリック

❸シーンが読み込まれます。

※シーンビューに何も表示されない場合は、ヒエラルキーウィンドウの「Hiyoko」をダブルクリックしてみましょう。シーンビューの中央にプレイヤー（ヒヨコ）が表示されます。

2 サンプルのシーンをコピーする

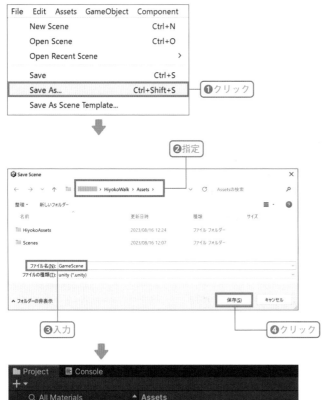

②指定

③入力

④クリック

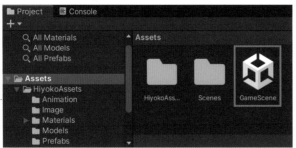

❶Unityの メ ニ ュ ー か ら、File→Save Asをクリックします。

❷Assetsフォルダを指定します。
❸ファイル名を入力します。
❹保存をクリックします。

ファイル名　GameScene

※シーンは「Assets」フォルダに保存します。

❺「Assets」フォルダに「GameScene」という名前でシーンが追加されます。

「GameScene」が保存されるのと同時に、「GameScene」シーンが開かれます。

実行して動作を確認してみましょう。キーボードの矢印キーまたは W A S D キーでプレイヤーを操作することができます（プレイヤーに合わせてカメラも移動します）。また、スペースキーでジャンプすることもできます。

動作が確認できたら、プレイを終了して制作に取りかかりましょう！

開いているシーンを確認する

　現在どのシーンを開いているかは、Unityエディター最上部の赤枠で示した部分に書かれています。複数のシーンを切り替えながら作業を行っている場合などは、ここを確認してみましょう。

「Hiyoko」の設定を変えてみよう

　「Hiyoko」は、移動速度と回転速度、ジャンプ力を設定できる仕組みになっています。変更しなくても制作を進めることはできますが、興味がある方は設定を変更して動作を確認してみましょう。
　ヒエラルキーウィンドウで「Hiyoko」を選択して、インスペクターウィンドウの「PlayerController」コンポーネントの設定を変更します。それぞれのパラメータの数字を変えてから、テストプレイをしてみると動きが変化することを確認できます。自分がしっくりくるパラメータに設定してみましょう（本書では設定を変えずに制作を進めます）。

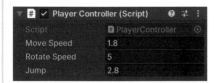

●「Hiyoko」の設定項目

Move Speed	移動速度
Rotate Speed	回転速度
Jump	ジャンプ力

アセットのキャラクターを利用する

　インポートしたアセットには、ヒヨコやニワトリなどのキャラクターの3Dモデルが用意されています。このキャラクターをステージ上に配置すれば、すぐにキャラクターを動かすことができます。
　プロジェクトウィンドウでフォルダのアイコンをダブルクリックすれば、インポートしたアセットの中身を確認することができます。キャラクターは「Prefabs」フォルダに収録されています。フォルダ内のキャラクターをヒエラルキーウィンドウ（あるいはシーンビュー）にドラッグ＆ドロップすれば、そのまま利用できます。

コインの作成

ここから**コイン**を作成していきます。コインは、Unityに最初から用意されているプリミティブ素材の**Cylinder**を使用して作成します。Cylinderは円柱のオブジェクトで、これをつぶして薄くすることでコインのような形状に変えることができます。

1 新しいプロジェクトを作成する

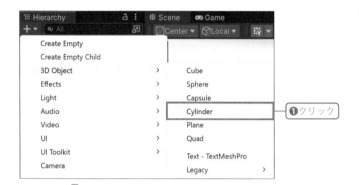

❶ヒエラルキーウィンドウで＋→3D Object→Cylinderをクリックします。

❷Cylinderが追加されました。

※続けて、インスペクターウィンドウでオブジェクトのパラメータを設定します。

2 コインのパラメータを設定する

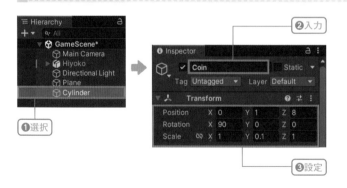

❶ヒエラルキーウィンドウでCylinderを選択します。

❷インスペクターウィンドウで名前に「Coin」と入力します。

❸Position、Rotation、Scaleを設定します。

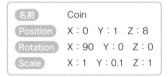

名前	Coin
Position	X：0　Y：1　Z：8
Rotation	X：90　Y：0　Z：0
Scale	X：1　Y：0.1　Z：1

コインに色をつける

❶開く

❶プロジェクトウィンドウでAssets
→HiyokoAssets→Materials
→Coinフォルダを開きます。

※ここでは、インポートしたアセット
のマテリアルを利用してコインに色
をつけます。

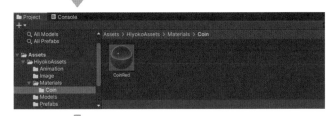

❷ドラッグ＆ドロップ

❷プロジェクトウィンドウのCoinRed
をヒエラルキーウィンドウのCoin
にドラッグ＆ドロップします。

❸コインの見た目が設定されました。

　たったこれだけの操作で、コインっぽい見た目にすることができました。

　ここでは「HiyokoAssets」に含まれているマテリアルを使用していますが、もちろん自分で
マテリアルを作成しても構いません。マテリアルについては60ページを参照してください。

05 プレハブの作成

　コインができたので、ステージ内にいくつも配置したいですよね。先ほどの手順を繰り返してコインを1つひとつ作っていくこともできますが、幸いなことに、Unityにはオブジェクトを簡単に使い回すための**プレハブ**（Prefab）という仕組みがあるので、これを利用して作っていきます。

　プレハブは、元になるオブジェクトから簡単に作成することができます。先ほど作成したコインからプレハブを作成してみましょう。

1 プレハブを作成する

❶プロジェクトウィンドウでAssetsフォルダを開きます。

❷ヒエラルキーウィンドウのCoinをプロジェクトウィンドウにドラッグ＆ドロップします。

※プロジェクトウィンドウの「Assets」フォルダの何もないところにドラッグ＆ドロップします。

　これでプロジェクトウィンドウに「Coin」というアセットが作成されます。これがコインのプレハブです。一度プレハブを作ってしまえば、そこから簡単にオブジェクトを複製できます。次は、プレハブからコインを3つ作成してステージ上に配置をしてみましょう。

2 プレハブを使ってオブジェクトを配置する

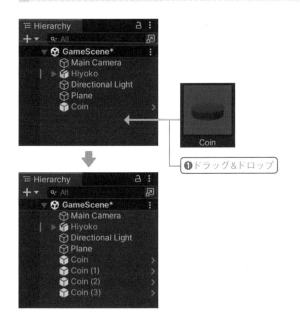

❶ドラッグ＆ドロップ

❶プロジェクトウィンドウのCoin を3つ、ヒエラルキーウィンドウにドラッグ＆ドロップします。

※先ほど作成した「Coin」プレハブをヒエラルキーウィンドウの何もないところにドラッグ＆ドロップします。

❷コインのオブジェクトが3つ追加されます。

プロジェクトウィンドウのプレハブをヒエラルキーウィンドウにドラッグ＆ドロップすることで、**プレハブと関連付けされたオブジェクト**を作成できます。複数個のオブジェクトを作成した場合は、「Coin(1)」のように名前に連番が設定されます。

Memo

プレハブの関連付けを確認する

プレハブと関連付けられているオブジェクトは、ヒエラルキーウィンドウ上では青色の文字で表示されるようになります。プレハブを作成した時点で、ヒエラルキーウィンドウの「Coinオブジェクト」とプロジェクトウィンドウの「Coinプレハブ」が自動的に関連付けされるので、ここでは「Coin」が青色になっていることを確認できます。

プレハブと関連付けされたオブジェクトは青色の文字で表示されます。

3 コインのパラメータを設定する

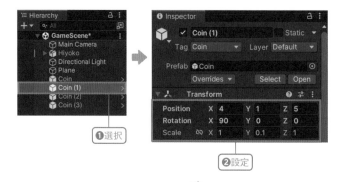

❶ヒエラルキーウィンドウでCoin（1）を選択します。

❷インスペクターウィンドウでPosition、Rotation、Scaleを設定します。

Position	X：4　Y：1　Z：5
Rotation	X：90　Y：0　Z：0
Scale	X：1　Y：0.1　Z：1

❶選択

❷設定

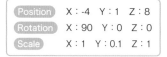

❸Coin（2）を選択します。

❹Position、Rotation、Scaleを設定します。

Position	X：-4　Y：1　Z：8
Rotation	X：90　Y：0　Z：0
Scale	X：1　Y：0.1　Z：1

❸選択

❹設定

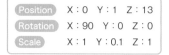

❺Coin（3）を選択します。

❻Position、Rotation、Scaleを設定します。

Position	X：0　Y：1　Z：13
Rotation	X：90　Y：0　Z：0
Scale	X：1　Y：0.1　Z：1

❺選択

❻設定

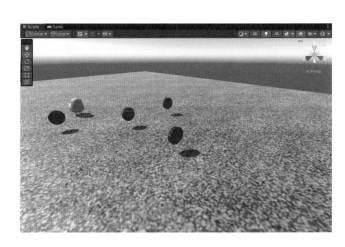

❼コインが配置されました。

これでコインを配置することができました。本書では3つだけを追加していますが、試してみたい方は好きなだけ配置してみてください。

Memo

プレハブとオブジェクトの関係

　プレハブというのはオブジェクトの設計図のようなもので、プレハブの設定が変更されると、プレハブに関連付けされたオブジェクトにも、一括して同じ変更が適用されるというルールがあります。

　つまりプレハブを利用して作成したコインをステージ内に配置しておけば、後でコイン自体の大きさを変えたいとなった場合でも、プレハブの設定を変えてしまえば配置したコインも連動して変更できることになります。

プレハブ　　オブジェクト

プレハブを大きくすると、関連付けられたオブジェクトも大きくなります。

　プレハブから作成したオブジェクト側でパラメータを変更した場合は、そのパラメータは元のプレハブや他のオブジェクトとは連動しなくなります。

　この特性を理解して、一括で修正を想定しているパラメータは可能な限りオブジェクト自身ではなくプレハブの方を変更するクセをつけておきましょう。

ビジュアルスクリプティング

　プレイヤーとコインの配置ができたところで実行して動作を確認してみましょう。どうでしょうか？無事にコインを拾うことができましたか？

　残念ながら、コインにぶつかることができても「拾う」という行為はできません。では、なぜ拾えないのかと言うと、ズバリ「コインに拾うという行為を実現するための機能が足りていないから」です。拾うというアクションには、「コインに触れた」際に「コイン消す」という機能が必要になります。そして機能というものを作るためには、いよいよプログラミング技術が必要になります。

　さて、**プログラミング**という単語が出てきました。とても難しいと感じますか？

　ですが安心してください。Unityには文字ベースのいわゆる従来のプログラミングに変わって、**ビジュアルプログラミング**などと呼ばれる次世代の機能が備わっています。この機能を使えば誰でもプログラムが作れるようになります。

▶▶ Unityのプログラミング

　今日ではプログラミングは小学生の教育課程にも盛り込まれるほどに一般化しつつあります。プログラミングというのはコンピューターに任意の処理をさせるための手段で、その処理を繋ぎ合わせた集合体がプログラムと呼ばれるものです。例えば、「〇〇である場合はXXをする」「〇〇という名前の数値をXX減らす」などの小さな処理を組み合わせて、作りたい機能を作成します。

　これからビジュアルスクリプティングという機能を使ってプログラミングを行っていくのですが、その前にもう少しUnityのプログラミングについて理解を深めていきましょう。

▶▶ 一般的なプログラミングとは？

　一般的にプログラミングと言えば、**プログラムコード**と呼ばれるテキストを書いていく行為です。プログラムコードを記述する言語ごとにルールが異なるため、それを理解して覚える必要があります。テキストで書いていくものなので、流用することが容易で、またインターネット上にもたくさんの情報があるのでその知識を活用することも可能です。

　Unityでは**C#スクリプト**によって、プログラムコードによるプログラミングを行うことができます。

▶▶ ビジュアルスクリプティングとは？

プログラムコードを使わずに、ブロックなどを組み合わせることでプログラミングを行っていくツールが増えています。Unityにも、**ビジュアルスクリプティング**（Visual Scripting）という名前で実装されています。

スクリプティングというのはプログラミングとほぼ同じ意味です。厳密にはスクリプティングというのはプログラミングの一種なのですが、Unityではスクリプティングという名前で統一されています。

ビジュアルスクリプティングでは、視覚的に表現された部品を利用するので、初心者でも直感的にさまざまな処理を実行する機能を作ることができるようになっています。ここからは実物を見ながら解説を進めたいと思います。

▶▶ スクリプトグラフ

Unityのビジュアルスクリプティングにはいくつかの機能が提供されています。本書では、そのなかの1つである**スクリプトグラフ**（Script Graph）を使って機能を作っていきます。

スクリプトグラフを使うには、オブジェクトに**スクリプトマシン**（Script Machine）というコンポーネントをアタッチします。スクリプトマシンはスクリプトグラフで作成したプログラムを動かすためのマシンのような機能で、これにスクリプトグラフを適用することで、特定のオブジェクトに実行させた処理や行動を追加することができます。

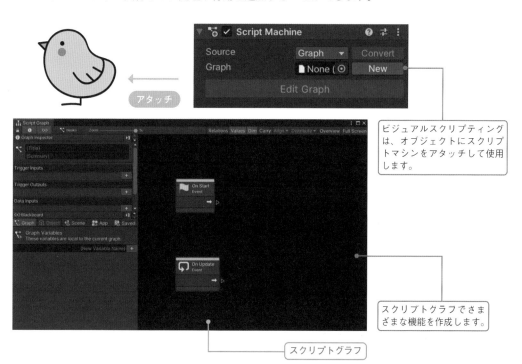

ビジュアルスクリプティングは、オブジェクトにスクリプトマシンをアタッチして使用します。

スクリプトグラフでさまざまな機能を作成します。

スクリプトグラフ

▶▶ On StartとOn Update

　スクリプトグラフを開いてみると、最初は難しく感じるかもしれません。実際、すべてを理解することは難しいのですが、簡単なものを作るのであれば、よく使う機能さえ押さえておけば問題ありません。ある程度慣れてから他の機能へ理解を広げていけばよいのです。

　まず覚えるべきなのは、最初の画面に表示されている**On Start**と**On Update**です。ビジュアルスクリプティングでは、On StartやOn Updateのように1つのカードで表示されている単位を**ノード**と呼びます。また、On StartとOn Updateは**イベント**（Event）というタイプのノードです。イベントは、プログラム上で何らかのきっかけとなることが起こった際に発生します。イベントタイプのノードは、「対応するイベントの発生を察知して、そこから処理をスタートさせる」という役割を持っています。

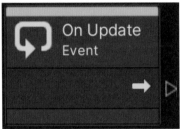

● On StartとOn Update

On Start	プレイ開始時、もしくは初めてシーン上にオブジェクトが登場した際に一度だけ実行されるノードです。
On Update	オブジェクトがシーン上に存在する限り、繰り返し実行されるノードです。1秒間に数十回の繰り返し処理が行われます。

　ノードをよく見てみると、矢印のアイコンのすぐ右側に三角形のアイコンが確認できます。ノードは、別のノードに線で繋げるようになっています。例えば、On Updateノードにオブジェクトを動かす機能のノードを繋げば、実行中はオブジェクトが動き続けます。ビジュアルスクリプティングでのプログラミングとは、この連鎖を作ることが要となってきます。

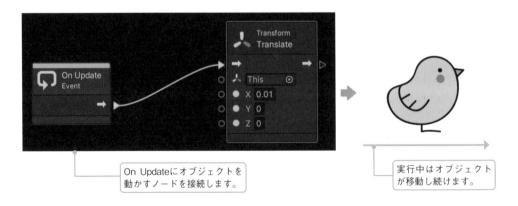

On Updateにオブジェクトを動かすノードを接続します。

実行中はオブジェクトが移動し続けます。

07 コインを回転させる

記念すべき最初のビジュアルスクリプティングは、**コインを回転**させてみましょう。**スクリプトグラフ**を使用してコインを回転させる機能を作成します。

コインを回転させるには、オブジェクトのRotationを変化させます。それも1回だけではなく変化させ続ける必要があります。そのように継続性のある機能を作る場合は**On Update**ノードを利用します。「少し回転する」機能を持ったノードを作成して、それをOn Updateノードに連結すれば対応できそうです。

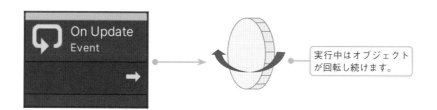

実行中はオブジェクトが回転し続けます。

コインのように、プレハブに関連付けられたオブジェクトが複数ある場合は、個々のオブジェクトではなく、元になったプレハブに機能を追加しましょう。そうすることで、すべてのオブジェクトに一括で機能を追加することができます。

スクリプトマシンをアタッチする

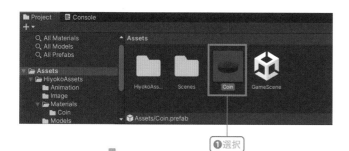

❶プロジェクトウィンドウでCoinプレハブを選択します。

❶選択

❷インスペクターウィンドウでAdd Componentをクリックします。

※［Add Component］はインスペクターウィンドウの一番下にあります。

❷クリック

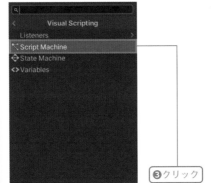

❸Visual Scripting→Script
Machineをクリックします。

❸クリック

2 スクリプトグラフを追加する

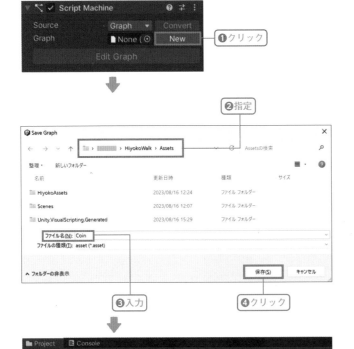

❶クリック

❷指定

❸入力   ❹クリック

❶Newをクリックします。

※インスペクターウィンドウの
「Script Machine」コンポーネン
トの「Graph」項目にあります。

❷Assetsフォルダを指定します。
❸ファイル名に「Coin」と入力しま
す。
❹保存をクリックします。

ファイル名　Coin

❺「Assets」フォルダにCoinとい
う名前でスクリプトグラフが作
成されます。

スクリプトグラフを開く

❶プロジェクトウィンドウでCoin
スクリプトグラフをダブルクリッ
クします。

❶ダブルクリック

回転させるノードの作成

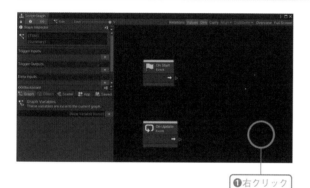

❶スクリプトグラフの何もないと
ころを右クリックします。

❶右クリック

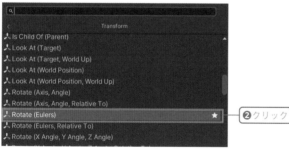

❷クリック

❷Codebase→Unity Engine
→Transform→Rotate（Eulers）
をクリックします。

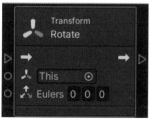

❸スクリプトグラフ上にRotate
ノードが作成されます。

Memo

🐤 Rotateノードで回転させる

　Rotateはオブジェクトを回転させるノードです。オブジェクトの角度（Rotation）を指定することができます。

　追加したノードには、いくつかアイコンとパラメータが表示されています。

　1段目の**矢印**のアイコン部分は**トランジション**を繋ぐ機能です。トランジションとはノードとノードを繋ぐ線のことです。トランジションでノードを連結させることで、処理の実行順を決めることができます。基本的に On Start や On Update などのイベント（Event）ノードから処理が始まり、トランジションにしたがって順番にノードの処理が実行される仕組みになっています。

イベントが発生すると対応するイベントノードが呼び出され、接続された順番にノードの機能が実行されていきます。

　2段目の**This**は処理の対象オブジェクトの指定です。「This」となっている場合は自分自身（スクリプトマシンがアタッチされているオブジェクトやプレハブ）を対象とします。別のオブジェクトを対象にすることもできますが基本的にはThisのままで問題ありません。

　3段目は**Eulers**というパラメータです。オブジェクトの「Rotation」のパラメータと同じで、「90」と設定すると90度回転させることができます。左から「X」「Y」「Z」の順で並んでいます。

 5　ノードのパラメータを設定する

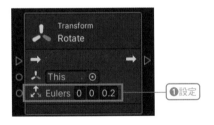

❶設定

❶Eulersを「0」「0」「0.2」に設定します。

| Eulers | 0 | 0 | 0.2 |

※Z方向に「0.2」回転させています。

 6　トランジションを接続する

❶クリック

❶On Updateの三角をクリックします。

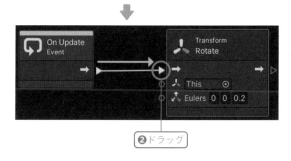

❷Rotateの左側の三角にドラッグ
します。

トランジションが繋がりました。On Updateはプレイ中は繰り返し実行され、実行される
たびに「Rotation」のZ方向の値を「0.2」だけ変化させる処理が行われます。つまり回転し続
ける動作をするようになります。

さっそく実行して、動作を確認してみましょう。ステージ上のコインがクルクル回転してい
る様子が確認できれば成功です。

Memo

ノードを見失ってしまったら？

意図しない操作でノードがどこにいったかわからなくなった場合は、スクリプトグラフの右上にある
Overviewというボタンをクリックしてください。

Overviewは、作成しているノードがすべて画面に表示されるように位置とズームを自動調整してくれ
る機能です。見失ったノードも画面に表示されるようになります。

VisualScripting SceneVariables

スクリプトグラフを表示した際に、ヒエラルキーウィンドウに**VisualScripting SceneVariables**オ
ブジェクトが自動的に追加されます。ここまで進めていれば自然に追加されているので一度見てみてく
ださい。

VisualScripting SceneVariablesは、シーン全体で使用可能な**変数**を設定するためのオブジェクトで
す。ここに設定した変数は、シーン内のどのオブジェクトからでも使用可能になります。詳しくは
Chapter5で解説します。

変数はとても便利な仕組みなのですが、今はプログラミングに使う機能の1つということだけを覚えて
おけば十分です。変数の使用方法はChapter4で解説します。

08 コインの当たり判定

　今の状態で実行しても、コインを拾うことはできません。コインを拾う機能を追加していきましょう。

　「拾う」という動作は、プレイヤー（ヒヨコ）が**コインに接触**したらそのコインを消すことで実現できます。コインに接触するというのはつまり、「HiyokoオブジェクトがCoinオブジェクトに接触する」ということです。スクリプトグラフには、オブジェクトの接触に関するノードがいくつも用意されています。ここでは、そのなかから **On Collision Enter** ノードを使って、コインの**当たり判定**の機能を作成します。

1 スクリプトマシンをアタッチする

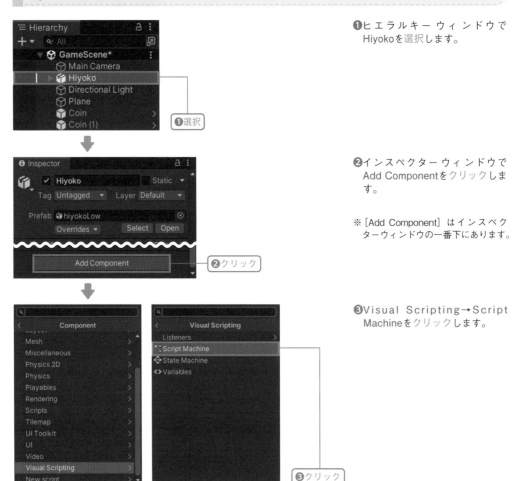

❶ヒエラルキーウィンドウで Hiyokoを選択します。

❷インスペクターウィンドウで Add Componentをクリックします。

※［Add Component］はインスペクターウィンドウの一番下にあります。

❸Visual Scripting→Script Machineをクリックします。

2 スクリプトグラフを追加する

❶クリック

❶Newをクリックします。

※インスペクターウィンドウの「Script Machine」コンポーネントの「Graph」項目にあります。

❷指定

❸入力　❹クリック

❷Assetsフォルダを指定します。

❸ファイル名に「Hiyoko」と入力します。

❹保存をクリックします。

ファイル名　Hiyoko

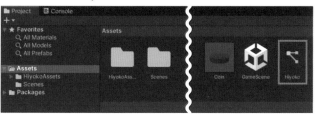

❺「Assets」フォルダにHiyokoという名前でスクリプトグラフが作成されます。

3 当たり判定のノードの作成

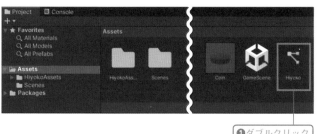

❶ダブルクリック

❶Hiyokoをダブルクリックします。

❷右クリック

❷スクリプトグラフの何もないところを右クリックします。

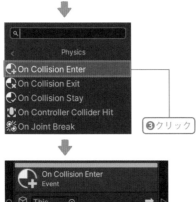

❸クリック

❸Events→Physics→On Collision Enterをクリックします。

❹On Collision Enterノードが作成されます。

On Collision Enter

「○○に触れたら何かをする」という場合には、**On Collision Enter**ノードが利用できます。On Collision Enterは、コライダーを持ったオブジェクト同士がぶつかった場合に発生するイベントです。スクリプトグラフには、このようなイベントに対応するノードが多数用意されています。

On Collision Enterを利用するためには、ぶつかる側のオブジェクト（ここではHiyoko）にリジッドボディが設定されている必要があります。コライダーについては56ページ、リジッドボディについては54ページを参照してください。

On Collision Enterノードにはいろいろとパラメータがありますが、今回使っていくのは1段目と2段目の「Collider」の2つだけです。1段目はトランジションを繋ぐ部分です。「This」となっているところはそのままで問題ありません。「Collider」は接触した相手の情報のパラメータです。詳しくは先の項目で解説します。

コンテンツの実行中は、On Collision Enterイベントが発生するたびに、トランジションで接続したノードの処理が実行されます。

09　コインの消去

　プレイヤー（ヒヨコ）がコインに接触したことを判定する機能が準備できました。次は、接触した**コインを消す**機能を作成しましょう。コインを消すということは、「Coinオブジェクトをシーン上から消去する」ということです。オブジェクトの消去は、**Destroy**ノードで行います。

1　オブジェクトを消去するノードの作成

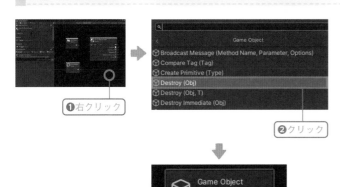

❶スクリプトグラフの何もないところを右クリックします。

❷Codebase→Unity Engine →Game Object→Destroy（Obj）をクリックします。

※On Collision Enterノードを作成した状態から続けて実行してください。

❸Destroyノードが作成されます。

　Destroyノードは、「Obj」に指定したオブジェクトをシーン上から消去することができます。つまり、Objにプレイヤーと接触したコインを指定すれば「プレイヤーが触れたコインを消す」が実現できます。

　On Collision Enterノードは、接触した相手の情報を保持していて、「Colider」から接触した相手のコライダーを取得することができます。On Collision EnterのColliderとDestroyのObjを繋ぐことで、接触したコインを消去できそうです。

　ただし、このままColliderとObjを繋いだだけでは、コインのオブジェクトは消えてくれません。コインのオブジェクトを消すためには、Colliderから取得したコライダーの情報を元にオブジェクトの本体を取り出してから、それをObjに繋ぐ必要があります。

　コライダーからオブジェクトの本体（GameObject）を取り出すには、**Get Game Object**というノードを使用する必要があります。

2 オブジェクトを取得するノードの作成

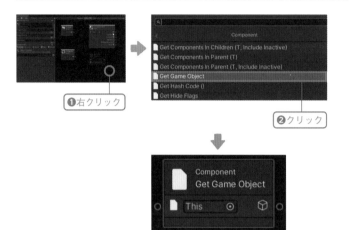

❶右クリック
❷クリック

❶スクリプトグラフの何もないところを右クリックします。
❷Codebase→Unity Engine →Component→Get Game Objectをクリックします。

※Destroyノードを作成した状態から続けて実行してください。

❸Get Game Objectノードが作成されます。

3 ノードを接続する

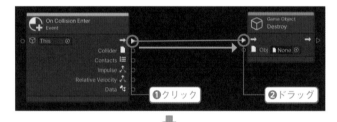

❶クリック
❷ドラッグ

❶On Collision Enterの三角をクリックします。
❷Destroyの左側の三角にドラッグします。

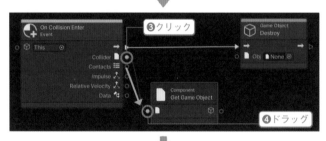

❸クリック
❹ドラッグ

❸On Collision EnterのColliderの○をクリックします。
❹Get Game Objectの左側の○にドラッグします。

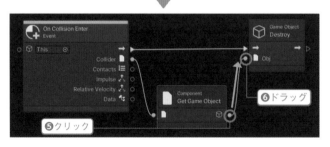

❺クリック
❻ドラッグ

❺Get Game Objectの右側の○をクリックします。
❻DestroyのObjの○にドラッグします。

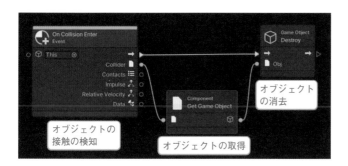

❼コインを消去する機能が完成しました。

オブジェクトの接触の検知

オブジェクトの取得

オブジェクトの消去

コインを消去する機能が完成しました。さっそく実行して、動作を見てみましょう！どうでしょうか？あれ？床が消えてしまいましたね。

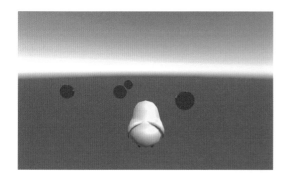

「なぜ床が消えてしまったのか？」の答えはとてもシンプルで、先ほど作った機能がプレイヤー（Hiyoko）が触れたオブジェクト（コライダーが設定されたオブジェクト）を無差別に消去させる仕様になってしまっているからです。

On Collision Enterノードはコライダーを持つオブジェクト同士が接触すると実行されますが、ここではプレイヤーが歩くステージのオブジェクトにもコライダーが設定されています。その結果、実行した直後に触れた床のオブジェクトを消去させてしまったのです。

Memo

🐦 トランジションを削除する

接続したトランジションを削除するには、トランジションの接続元あるいは接続先の三角や○部分を右クリックします。

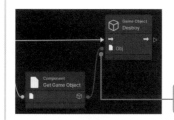

削除するトランジションの三角や○を右クリックします。

Chapter 3　3Dコンテンツの制作

タグの設定

接触したコインのみを消すように修正しましょう。

接触した相手を識別する際に便利な仕組みとして、**タグ**（Tag）という機能が用意されています。タグをコインに適用して、コインを識別できるようにします。

タグは、オブジェクトを識別するために貼るラベルのような機能です。タグは、あらかじめ用意されているものを利用することもできますが、今回は「Coin」という名前のタグを自作して使用します。プレハブに設定すれば、シーン上のすべてのコインにまとめてタグを付けることができます。

1 タグを追加する

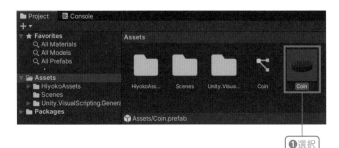

❶プロジェクトウィンドウでCoinプレハブを選択します。

❷インスペクターウィンドウで「Tag」のUntaggedをクリックします。

❸Add Tag...をクリックします。

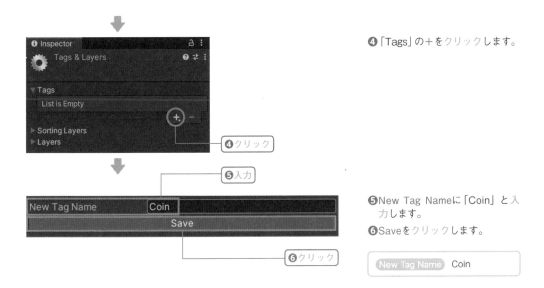

④「Tags」の＋をクリックします。

⑤New Tag Nameに「Coin」と入力します。

⑥Saveをクリックします。

New Tag Name Coin

コインにタグを設定する

①「Tag」のUntaggedをクリックします。

②Coinをクリックします。

※プロジェクトウィンドウで「Coin」をクリックして表示を戻します。

③コインにCoinタグが設定されました。

コインかどうかを判定

コインに設定した「Coin」タグを使って、**プレイヤーと接触した相手がコインかどうかを判定**する機能を作ります。

プレイヤー（Hiyoko）のスクリプトグラフに機能を追加します。ここで新たに追加する機能は、「**接触した相手のタグを調べる**」「**相手のタグが『Coin』だったら消去する**」の2つになります。最初に、タグを調べる機能から追加していきましょう。

1 タグを取得するノードの作成

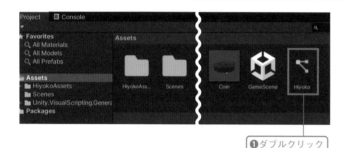

❶プロジェクトウィンドウの Hiyokoをダブルクリックします。

❷スクリプトグラフの何もないところを右クリックします。

❸Codebase→ Unity Engine → Component→ Get Tagをクリックします。

❹Get Tagノードが作成されました。

2　同じかどうかを判定するノードの作成

❶スクリプトグラフの何もないと
ころを右クリックします。

❷Logic→Equalをクリックします。

❸Equalノードが作成されました。

Get Tagはオブジェクトに設定されたタグを取得するノードです。

Equal（イコール）の役割はその名の通り、Aに接続されたデータと、Bに接続されたデータが「イコール」であるかを判定します。結果はEqualの右側の〇から取り出すことができます。イコールの場合は「True」、そうでない場合は「False」という結果を取得できます。

ここでは、判定する相手は2段目のBの〇に接続した**String Literal**ノードで指定します。「String」は文字、「Literal」は値を意味します。「×× Literal」という名前のノードは、何らかの数値や文字などを指定する場合に利用します。ここでは、「String Literal」ノードを作成して、値に「Coin」を指定します。

3　値を指定するノードの作成

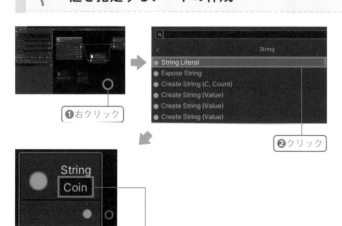

❶スクリプトグラフの何もないと
ころを右クリックします。

❷Codebase→System→String→
String Literalをクリックします。

❸String Literalノードに「Coin」と
入力します。

String	Coin

ノードを接続する

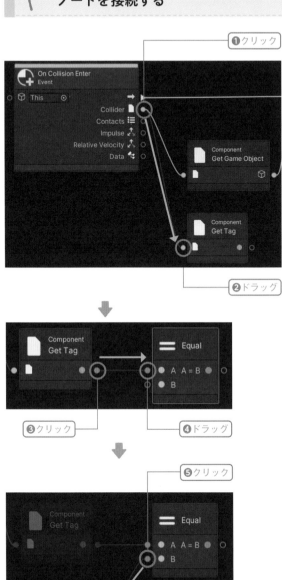

❶On Collision EnterのColliderの
○をクリックします。

❷Get Tagの左側の○にドラッグ
します。

❸Get Tagの右側の○をクリック
します。

❹EqualのAの○にドラッグします。

❺EqualのB○をクリックします。

❻String Literalの○にドラッグし
ます。

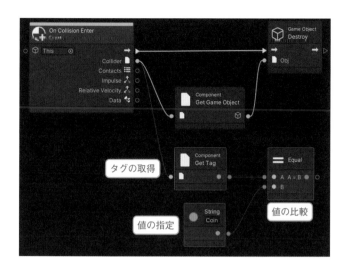

❼ノードが接続されました。

Memo

計算は算術ノードで行う

　高校までで習うような基本的な計算のツールは、ノードの**Math**というカテゴリーにまとめられています。単純な数値に関しての四則演算などは Math→Scalarにあります。これらを組み合わせることで複雑な計算も可能にはなりますが、計算の回数分だけノードが増えてしまうので使いすぎには注意しましょう。

Memo

オブジェクトの名前でコインを判別することは可能？

　本書ではコインを識別するためにタグを使用していますが、オブジェクトの名前で判断することはできないのか？と疑問に思う方もいるかと思います。結論から言うと名前でもコインかどうかを判定することができます。

　Get Nameノードを使用すれば、オブジェクトから名前を取り出すことができるので、それをEqualに繋ぐだけでタグのかわりになります。

　ですが、オブジェクトの名前を使用する場合のデメリットは大きく、将来のどこかで名前が変わった場合に正しく動作しなくなります。また、コインを複製した際に「Coin(1)」とUnityが自動で設定するように、同じ名前のオブジェクトが複数存在することは基本的に想定されていないため、1つひとつ名前を指定する必要もあります。なるべくタグを使用するようにしましょう。

コインだけを消去

最後にEqualノードから取り出した判定結果を使って、**タグが一致した場合にコインを消す**という機能を作成します。この「もし〇〇だった場合」を判断して、**処理を分岐**するための**If**というノードが用意されているので、それを使用します。

1 処理を分岐するノードの作成

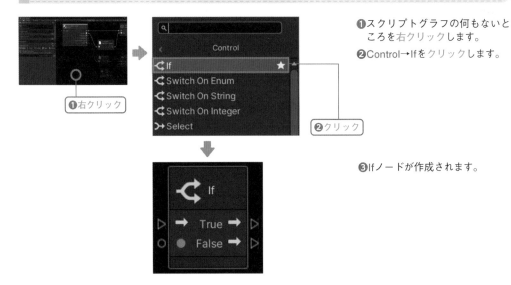

❶右クリック

❷クリック

❶スクリプトグラフの何もないところを右クリックします。

❷Control→Ifをクリックします。

❸Ifノードが作成されます。

Memo

Ifノードで処理を分岐する

Ifノードは、接続されたノードのデータが正しい場合は**True**のトランジションを、そうでない場合は**False**のトランジションが選択され、流れる処理を分岐させることができます。

ここでは、タグが「Coin」だった場合は「True」、「Coin」でなかった場合は「False」に分岐します。「True」にはコインを消す機能を接続し、「False」は何も行わないので、そのまま空けておきます。

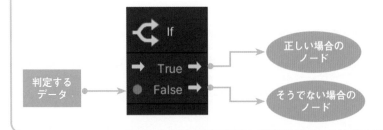

判定するデータ / If / True / False / 正しい場合のノード / そうでない場合のノード

ノードを接続する

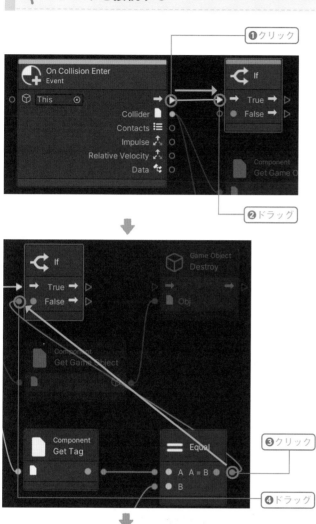

❶On Collision Enterの三角をクリックします。

❷Ifの左側の三角にドラッグします。

※「Destroy」に繋がっていたトランジションが「If」に繋ぎ直されます。

❸Equalの右側の○をクリックします。

❹Ifの左側の○にドラッグします。

❺IfのTrueの三角をクリックします。

❻Destroyの左側の三角にドラッグします。

On Collision EnterからはすでにDestroyにトランジションが繋がれている状態ですが、これをIfの左側の右向き矢印部分に接続し直します。そして、Equalの右側の○とIfの左側の○を接続します。最後に、IfのTrueの矢印部分とDestroyの矢印部分を接続すれば完成です。

実行して動作を確認してみましょう。接触したコインが消えれば成功です。

完成した「Hiyoko」と「Coin」スプリクトグラフは、それぞれ次のようになっています。ノードの位置はドラッグで動かせます。見やすいように位置を調整しましょう。

Hiyoko

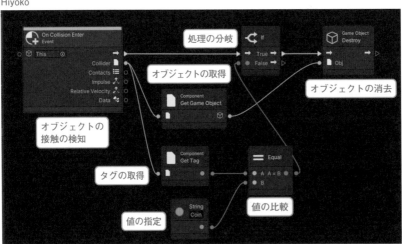

Coin

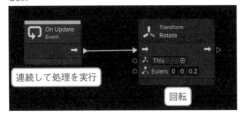

13　遊びの幅を広げる

　コイン拾いのベースはこれで完成です。ここから発展させることでどんなコンテンツでも作成可能です。ここからは、遊びの幅を広げるためのヒントをいくつか紹介したいと思います。

　コイン自身に動きを加えることで、コインごとに遊び方を変えることができます。しかし、コインに共通で設定している「Coin」スクリプトグラフにその機能を作ってしまうと、すべてのコインが同じように動いてしまいます。あえてそうしたい場合には問題ありませんが、個別に動かしたい場合は新しいスクリプトグラフを追加することをお勧めします。

　ここでは例として「Coin(1)」オブジェクトに新しくスクリプトグラフを追加するケースを紹介します。

1　スクリプトマシンを追加する

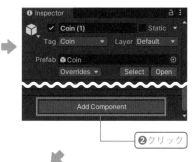

❶ヒエラルキーウィンドウでCoin（1）を選択します。

❷インスペクターウィンドウでAdd Componentをクリックします。

※［Add Component］はインスペクターウィンドウの一番下にあります。

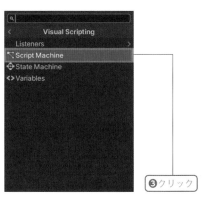

❸Visual Scripting→Script Machineをクリックします。

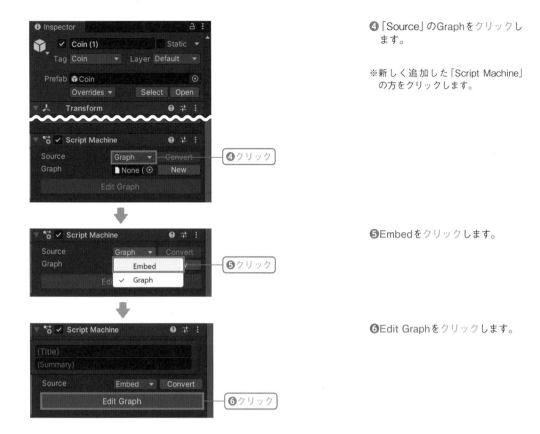

❹「Source」のGraphをクリックします。

※新しく追加した「Script Machine」の方をクリックします。

❺Embedをクリックします。

❻Edit Graphをクリックします。

2 コインを動かすノードの作成

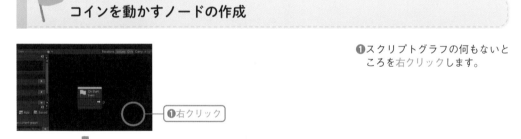

❶スクリプトグラフの何もないところを右クリックします。

❷Codebase→Unity Engine→Transform→Translate (X,Y,Z) をクリックします。

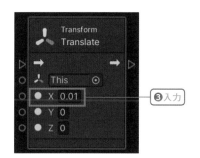

❸TranslateノードのXに「0.01」を
入力します。

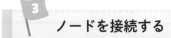

ノードを接続する

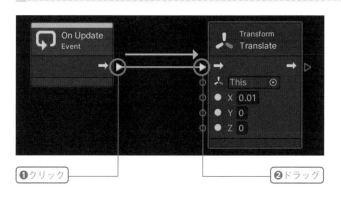

❶クリック　　　　　　　　　　　　❷ドラッグ

❶On Updateの三角をクリックし
ます。
❷Translateの左側の三角にドラッ
グします。

　これでスクリプトグラフの追加は完了です。実行して動作を確認してみてください。

　最初に作成したその場で回転し続ける動きに加えて、コインが移動する処理を付け加えまし
た。1枚のコインだけが、円を描きながら移動していくのが確認できるはずです。

Translate

　Translateは、オブジェクトの位置を変更するノードです。「X」「Y」「Z」の各軸方向に移動する距離を
指定できます。On Updateに接続するとことで、連続して移動する処理を作ることができます。

Graph or Embed ?

　この章で行ってきたように「New」から新しいスクリプトグラフを作成してそれを編集する方法の他
に、「Embed」というコンポーネント自身にスクリプトグラフを埋め込んでしまう方法も使用できます。
この場合はスクリプトグラフがアセット化されないので使い回すことはできませんが、手軽に機能を追
加する場合にはお勧めです。

アセットストアの利用 14

Unityでは簡単な形状であれば、あらかじめ用意されているプリミティブ素材などを使用して制作することができますが、3Dキャラクターや建物などの複雑な形状の素材については、自分で調達してUnityに取り込むか、**アセットストア**（Asset Store）というストア機能から購入して利用します。

ここでは、アセットストアから無料で使用できる「CITY package」アセットを入手して利用する方法を解説します。

アセットストアでは、Unity Hubにアカウントでサインインされている状態でないと以降のダウンロードが正常に動作しないのでご注意ください。サインインについては、23ページを参照してください。

1 アセットストアを開く

❶Unityのメニューから、Window→Asset Storeをクリックします。

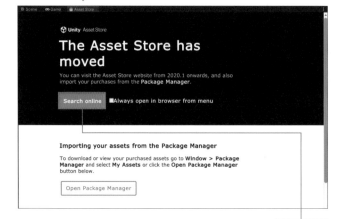

❷Search onlineをクリックします。

※クリックすると、Webブラウザーでアセットストアが開きます。

2 アセットを入手する

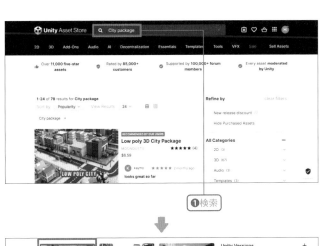

❶検索

❶「City package」で検索します。

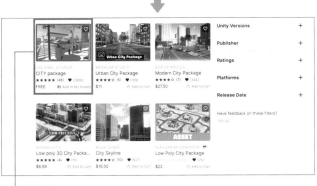

❷クリック

❷CITY packageをクリックします。

❸クリック

❸私の資産に追加をクリックします。

※英語で表示される場合は、同じ箇所にあるボタンをクリックしてください。

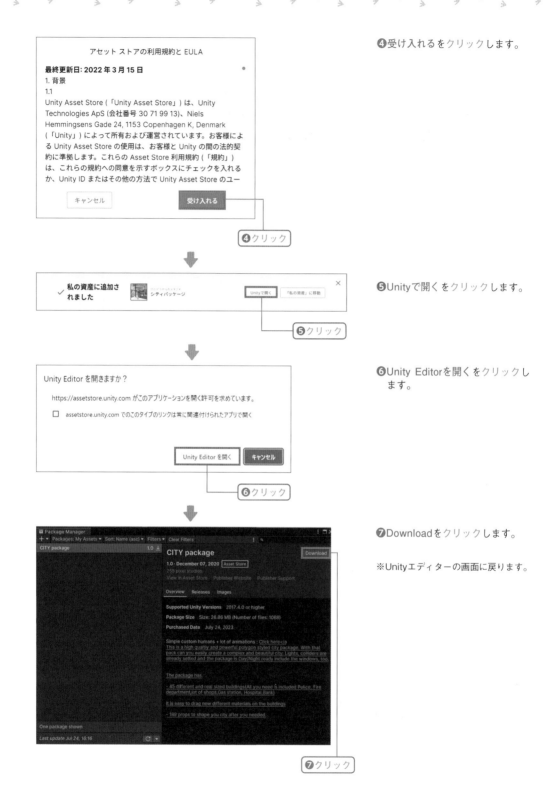

❹受け入れるをクリックします。

❺Unityで開くをクリックします。

❻Unity Editorを開くをクリックします。

❼Downloadをクリックします。

※Unityエディターの画面に戻ります。

❽Importをクリックします。

❽クリック

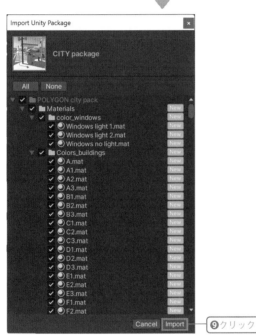

❾Importをクリックします。

❾クリック

プロジェクトウィンドウの「Assets」フォルダ内に「POLYGON city pack」フォルダが作成
されていたら成功です。

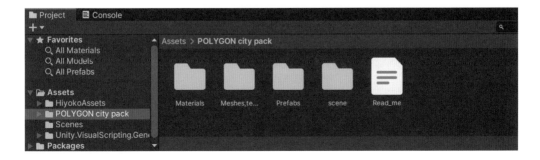

アセットのシーンを開く

❶開く ❷ダブルクリック

❶Assets→POLYGON city pack
→sceneフォルダを開きます。

❷DemoSceneをダブルクリック
します。

※元のシーンを保存してから新しい
シーンを開きましょう。

❸ダブルクリック

❸ヒエラルキーウィンドウのオブ
ジェクトをダブルクリックしま
す。

※ここでは「street lamp2 prefab (34)」
をダブルクリックしています。ダブ
ルクリックしたオブジェクトがシー
ンビューの中央に表示されます。

プレイヤーを追加する

❶開く

❶Assets→HiyokoAssets→
Prefabsフォルダを開きます。

※カメラとプレイヤーは「HiyokoAssets」
に収録されているアセット（プレハ
ブ）を利用します。

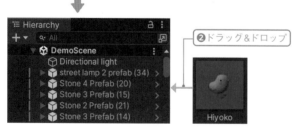

❷ドラッグ＆ドロップ

❷プロジェクトウィンドウのHiyoko
をヒエラルキーウィンドウにド
ラッグ＆ドロップします。

③ヒエラルキーウィンドウで
Hiyokoを選択します。

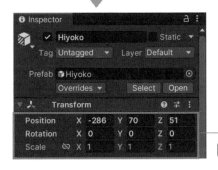

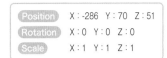

④インスペクターウィンドウで
Position、Rotation、Scaleを設
定します。

Position	X : -286 Y : 70 Z : 51
Rotation	X : 0 Y : 0 Z : 0
Scale	X : 1 Y : 1 Z : 1

5 カメラを追加する

❶Assets→HiyokoAssets→
Prefabsフォルダを開きます

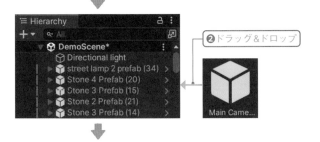

❷プロジェクトウィンドウのMain
Cameraをヒエラルキーウィンド
ウにドラッグ&ドロップします。

※Main CameraにはFollowPlayerと
いうスクリプトがアタッチされてい
ます。そのなかで「Player」タグが
設定されたオブジェクト（Hiyoko）
を追いかけるようにしてあります。

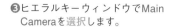

③選択

④設定

❸ヒエラルキーウィンドウでMain
Cameraを選択します。

❹インスペクターウィンドウで
Position、Rotation、Scaleを設
定します。

これで、街のなかをプレイヤーが自由に歩き回れるようになります。街のなかに、この章で
作成したコインを配置することもできます。

「City package」には、建物や街頭など、街の素材のプレハブがたくさん用意されています。
それらのプレハブを利用して、自分だけの街のステージを作ることもできます。いろいろと
チャレンジしてみてください。

Memo

別のキャラクターのアセットを使う

　アセットストアでは、プレイヤーのかわりとなるアセットもたくさん用意されています。ヒヨコのかわりに使用できる無料のアセットを2つ紹介します。

　ユニティちゃん！モデルは、Unity Technologies Japanが作成し配布しています。

　StarterAssetは、汎用的に利用できるキャラクターのアセットです。3人称バージョン（Third Person Character）と1人称バージョン（First Person Character）があり、好きな方を選んで使用します。なお、このStarterAssetをダウンロードする場合は、新しいプロジェクトを3D（URP）テンプレートで作成してください。

Memo

Japanese Otaku City

　Japanese Otaku Cityは、株式会社ゼンリンが提供している街のアセットです。秋葉原の街を忠実にデータ化しています。同社は他にもいくつか別の街のアセットも配布しています。

　地面に当たり判定がないため、当たり判定を自分で追加する必要があるなど、使いこなすには難易度が高めですが、日本の街を再現した数少ないアセットの内の1つです。

完成　　3D世界にキャラクターとコインを配置して、コイン集めの仕組みを作成できました。

　　この章では、**ビジュアルスクリプティング**に挑戦しました。コインを回転させる機能、コインを判別する機能、コインを消去する機能を作成しています。**スクリプトグラフ**に**ノード**を追加して、**トランジション**で接続するという、基本的な手順を理解しましょう。

　さらに、作成したコンテンツをリッチにするヒントとして、**アセットストア**を利用する方法も紹介しました。街やプレイヤーのアセットを利用すれば、より見た目のよいコンテンツを作成することができます。いろいろなアセットを試してみてください。

Chapter 4

2Dゲームの制作

　ここまでの章では、Unityの特徴や基本的な使い方をメインに学んできました。
ここからは、Unityの2D機能を学びながら、ビジュアルスクリプティングを使って簡単なゲームを作成します。

　Chapter3ではビジュアルスクリプティングの基本点な手順を学びました。この章では、もう少しゲームっぽい機能を作っていきましょう。キー操作でプレイヤーを動かしたり、連続して障害物を生成する機能などを作りましょう。ランダムな位置にオブジェクトを生成したり、変数を使ってパラメータを指定する方法も解説します。

01 新しいプロジェクトの作成

2Dゲーム用に新しい**プロジェクト**を作成します。Chapter3のプロジェクトを開いたままの場合は、一度Unityエディターを終了してください。

Unity Hubを起動して、新しいプロジェクトを作成します。テンプレートは**2D**を選択してください。保存先とプロジェクト名は好きな場所と名前で構いません。本書ではプロジェクト名を「FlyingBird」にしています。

新しいプロジェクトを作成する

❶プロジェクトをクリックします。

❷新しいプロジェクトをクリックします。

プロジェクト項目を設定する

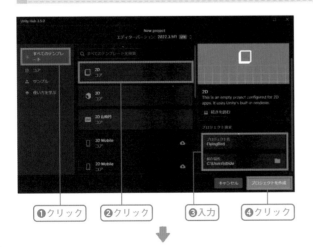

❶すべてのテンプレートをクリックします。

❷2Dをクリックします。

❸プロジェクト名と保存場所を入力します。

❹プロジェクトを作成をクリックします。

プロジェクト名	FlyingBird
保存場所	任意のフォルダ

※プロジェクト名は不具合が起きないようにアルファベットでの作成を推奨します。

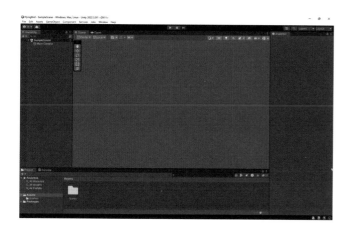

❺2D用のプロジェクトが作成さ
れ、Unityエディターが起動し
ます。

これで新規プロジェクトが作成されました！この状態からプレイヤーなどの配置や、ビジュ
アルスクリプティングによる機能の作成を行っていきます。

2Dのプロジェクト

　テンプレートで「2D」を選択すると、2D用のプロジェクトが作成されます。「3D」テンプレートで作成した
時と比べて、「Directional Light」がなかったり、カメラが2Dコンテンツを作るための設定になっています。
　カメラなどの違いはありますが、基本的な操作は2Dと3Dで違いはありません。プレイヤーなどを配
置して、ビジュアルスクリプティングで機能を作っていきましょう。

📣 フライングバード

　プレイヤーのニワトリを飛ばして障害物を越えていくゲームです。ニワトリを飛ばす機能や、障害物
を動かす機能などをビジュアルスクリプティングで作成していきます。

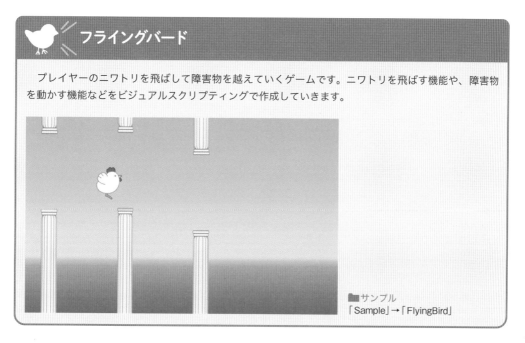

📁サンプル
「Sample」→「FlyingBird」

Chapter 4　2Dゲームの制作

スプライトのインポート

ステージ上に配置する**画像**を用意しましょう。2Dのプロジェクトでは、ステージ上に配置する画像を**スプライト**と呼びます。スプライトを本書のサポートページからダウンロードし、プロジェクトウィンドウにドラッグ＆ドロップでインポートしましょう。

1 スプライトのダウンロード

❶クリック

❶Webブラウザーでサポートページを開き、Chapter4のスプライトをクリックします。

URL サポートページ

https://www.sbcr.jp/support/
4815617765/

※「Sprite.zip」ファイルがダウンロードされます。

2 ファイルを解凍する

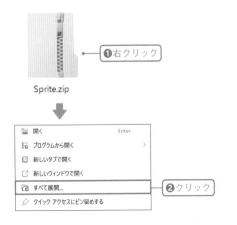

❶右クリック

Sprite.zip

❷クリック

❶ダウンロードしたファイルを右クリックします。

❷すべて展開をクリックします。

※「Sprites」という名前のフォルダに今回使用するスプライトが保存されています。

3 プロジェクトにインポートする

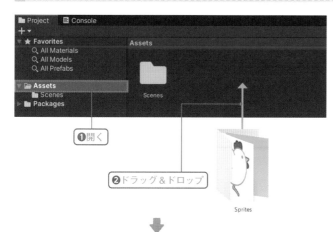

❶プロジェクトウィンドウで
Assets フォルダを開きます。

❷Sprites フォルダをドラッグ＆ド
ロップします。

❶開く

❷ドラッグ＆ドロップ

Sprites

❸Sprites フォルダがインポートさ
れました。

Memo

サンプルのスプライト

　ダウンロードした「Sprites」フォルダには、PNG形式のイラスト画像が収録されています。イラストの背景（白い部分）は透過処理が行われています。プレイヤーの画像などを用意する場合は、背景の透過処理を忘れずに行いましょう。

Background.png

Bird_Fly.png

StatueLong.png

● サンプルのスプライト

Background	背景の素材
Bird_Fly	プレイヤーの素材
SatueLong	障害物の素材

03 シーンの作成

まず、ゲームを制作するための**シーン**を用意します。新しいシーンを作成して、そこから作っていきましょう。また、**ゲーム画面のサイズ**の設定も行います。

1 シーンを作成する

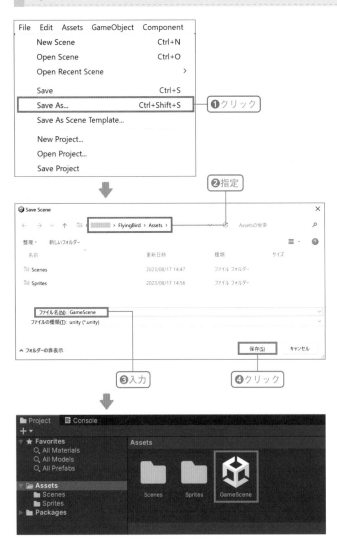

❶ Unity のメニューから、File →
Save As をクリックします。

❷ Assets フォルダを指定します。

❸ ファイル名を入力します。

❹ 保存をクリックします。

ファイル名 GameScene

※シーンは「Assets」フォルダに保存
します。

❺「Assets」フォルダに「Game
Scene」という名前でシーンが
追加されます。

118

2 画面サイズを設定する

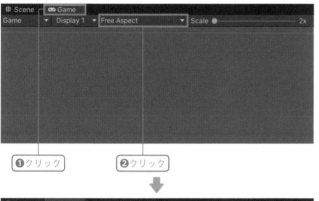

❶Game をクリックします。

❷Free Aspect をクリックします。

❸Full HD(1920 × 1080)をクリックします。

※設定後は[Scene]タブをクリックして、表示をシーンビューに戻しておきましょう。

Sceneタブをクリックしてシーンビューを確認すると、白い枠が表示されています。この白い枠が、ゲームを実行した際の画面の枠を表します。

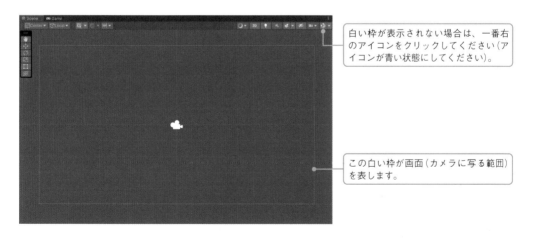

白い枠が表示されない場合は、一番右のアイコンをクリックしてください(アイコンが青い状態にしてください)。

この白い枠が画面(カメラに写る範囲)を表します。

04 背景の配置

最初に**背景**となる**スプライト**を配置しましょう。背景のスプライトは「Background」です。
プロジェクトウィンドウからドラッグ＆ドロップして、ヒエラルキーウィンドウに追加します。

1 背景のスプライトを追加する

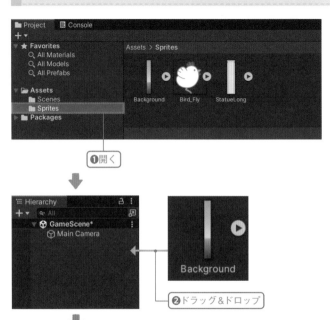

❶開く

❷ドラッグ＆ドロップ

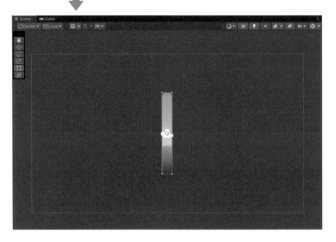

❶Assets→Sprites フォルダを開きます。

❷プロジェクトウィンドウの Background をヒエラルキーウィンドウにドラッグ＆ドロップします。

❸背景のスプライトが追加されます。

※この章のサンプル（フライングバード）では、Main Camera の各種設定はデフォルトのまま使用します。

2 背景の大きさを調整する

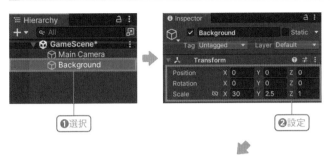

❶選択   ❷設定

❶ヒエラルキーウィンドウで
Backgroundを選択します。

❷インスペクターウィンドウで
Position、Rotation、Scaleを設
定します。

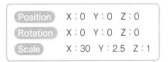

Position   X：0 Y：0 Z：0
Rotation   X：0 Y：0 Z：0
Scale   X：30 Y：2.5 Z：1

❸背景のスプライトが配置されま
した。

実行して、ゲーム画面を確認します。画面いっぱいに背景のスプライトが表示されるように
大きさを調整しましょう。

05 プレイヤーの配置

続けて、**プレイヤー**のニワトリを配置しましょう。プレイヤーのスプライトは「Bird_Fly」です。スプライトには**リジッドボディ**（Rigidbody）と**コライダー**（Collider）をアタッチします。

Chapter2でも解説しましたが、リジッドボディはオブジェクトを物理挙動させるために必要なコンポーネントです。コライダーは、オブジェクトの当たり判定です。2Dのスプライトには、2D用の「Rigidbody 2D」や「○○ Collider 2D」をアタッチしましょう。

1 プレイヤーのスプライトを追加する

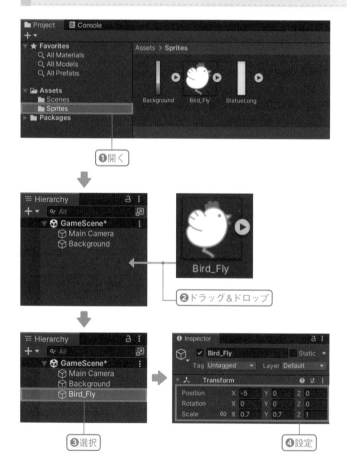

❶ Assets → Sprites フォルダを開きます。

❷ プロジェクトウィンドウのBird_Fly をヒエラルキーウィンドウにドラッグ＆ドロップします。

❸ ヒエラルキーウィンドウでBird_Fly を選択します。

❹ インスペクターウィンドウでPosition、Rotation、Scale を設定します。

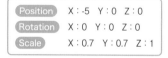

Position	X : -5　Y : 0　Z : 0
Rotation	X : 0　Y : 0　Z : 0
Scale	X : 0.7　Y : 0.7　Z : 1

2 描画の順番を設定する

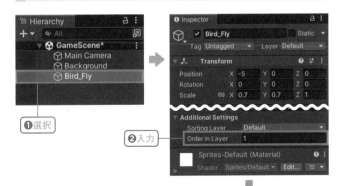

①選択

②入力

❶ヒエラルキーウィンドウでBird_Flyを選択します。

❷インスペクターウィンドウでOrder in Layerに「1」を入力します。

❸プレイヤーのスプライトが配置されました。

Memo

Order in Layerで重なりを調整する

Order in Layerは、カメラから見たスプライトの描画順を設定するパラメータです。数字が大きいほど手前に描画されます。

　最初に配置した「Background」はOrder in Layerが「0」のままなので、「Bird_Fly」のOrder in Layerを「1」にすることで、Bird_FlyがBackgroundより手間に描画されるようにしています。

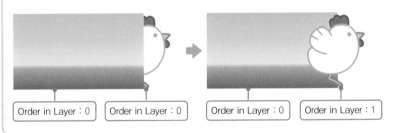

Order in Layer：0　　Order in Layer：0　　　　Order in Layer：0　　Order in Layer：1

プレイヤーにリジッドボディを追加する

❶選択

❷クリック

❶ヒエラルキーウィンドウでBird_Flyを選択します。

❷インスペクターウィンドウでAdd Componentをクリックします。

※リジッドボディを追加することこで、プレイヤーが重力にしたがって落下するようになります。

❸クリック

❸Physics 2D → Rigidbody 2D をクリックします。

❹プレイヤーに Rigidbody 2D が追加されます。

4 プレイヤーが回転しないようにする

❶「Rigidbody 2D」のConstraints の右向き三角をクリックします。

❷Freeze Rotationをチェックします。

Chapter 4　2Dゲームの制作

Memo

Freeze Rotationでオブジェクトの回転を停止する

Freeze Rotationは、オブジェクトの回転を停止するパラメータです。ここでは、プレイヤーが障害物に接触した際に回転しないように、チェックを入れています。

---

5 プレイヤーにコライダーを追加する

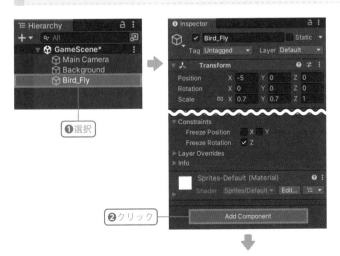

❶ヒエラルキーウィンドウでBird_ Flyを選択します。

❷インスペクターウィンドウで Add Componentをクリックします。

❸ Physics 2D → Circle Collider 2D をクリックします。

❸クリック

❹ プレイヤーに Circle Collider 2D が追加されます。

6

コライダーのサイズを調整する

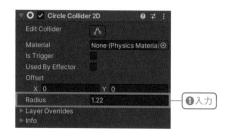

❶入力

❶「Circle Collider 2D」の Radius に「1.22」と入力します。

 Radius 1.22

Memo

Radius でコライダーのサイズを調整する

Radius はコライダーのサイズを設定するパラメータです。初期値は「1」が設定されています。ここでは、プレイヤーを囲むように円形のコライダー（Circle Collider 2D）を追加していますが、Radius が「1」のままだとプレイヤーがコライダーからはみ出してしまいます。そこで Radius を少し大きくして、プレイヤーが円に収まるように調整しています。

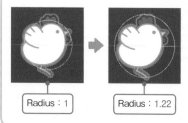

Radius：1 → Radius：1.22

クリックでジャンプ

プレイヤー（ニワトリ）が配置できました。ゲームを実行すると、プレイヤーは重力の影響を受けて画面下に向かって落下していくのが確認できます。

画面上でマウスクリックすることで、プレイヤーをジャンプで浮き上がらせ、飛行し続けられるようにしましょう。クリックでジャンプさせる機能は、ビジュアルスクリプティングで作成します。

1 スクリプトマシンをアタッチする

❶ヒエラルキーウィンドウでBird_Flyを選択します。

❷インスペクターウィンドウでAdd Componentをクリックします。

※［Add Component］はインスペクターウィンドウの一番下にあります。

❸Visual Scripting → Script Machineをクリックします。

スクリプトグラフを追加する

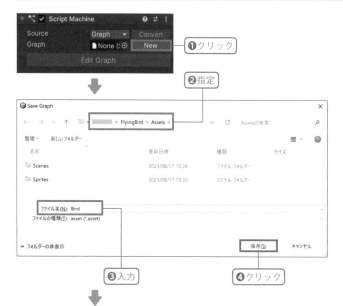

❶ New をクリックします。

※インスペクターウィンドウの「Script Machine」コンポーネントの「Graph」項目にあります。

❷ Assets フォルダを指定します。
❸ ファイル名に「Bird」と入力します。
❹ 保存をクリックします。

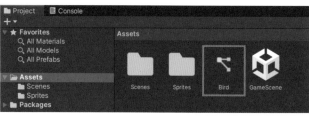

❺「Assets」フォルダに Bird という名前でスクリプトグラフが作成されます。

スクリプトグラフを開く

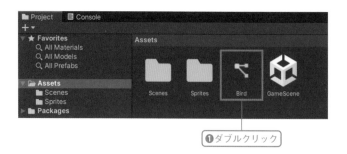

❶ プロジェクトウィンドウの Bird をダブルクリックします。

マウスクリックを検出するノードの作成

❶スクリプトグラフの何もないところを右クリックします。

❷Codebase → Unity Engine → Input → Get Mouse Button Down（Button）をクリックします。

❸Get Mouse Button Down ノードが作成されます。

❹On Update の三角をクリックします。

❺Get Mouse Button Down の左側の三角にドラッグします。

Get Mouse Button Down

Get Mouse Button Downは、ゲームの画面上でマウスをクリックすることを検出するノードです。2段目のButtonの「0」とは左クリックを意味しています。ここが「1」だとホイール、「2」だと右クリックになります。

5 処理を分岐するノードの作成

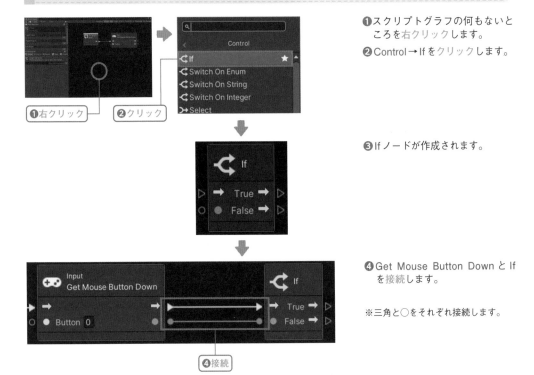

❶スクリプトグラフの何もないところを右クリックします。

❷Control→Ifをクリックします。

❸Ifノードが作成されます。

❹Get Mouse Button Down と If を接続します。

※三角と○をそれぞれ接続します。

❶右クリック ❷クリック

❹接続

マウスのクリックで分岐する

Ifは、「○○の場合」で**処理を分岐**する機能を作成するためのノードです。左側の○には、「○○の場合」を指定するノードを接続します。ここではGet Mouse Button Downが接続されているので、「マウスがクリックされたら」という条件で処理を分岐します。クリックされたら実行するノードはTrueの右側の三角に接続します。

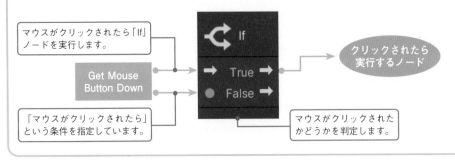

マウスがクリックされたら「If」ノードを実行します。

「マウスがクリックされたら」という条件を指定しています。

クリックされたら実行するノード

マウスがクリックされたかどうかを判定します。

6 オブジェクトを移動させるノードの作成

❶右クリック　❷クリック

❶スクリプトグラフの何もないところを右クリックします。

❷Codebase → Unity Engine → Rigidbody 2D→Set Velocity をクリックします。

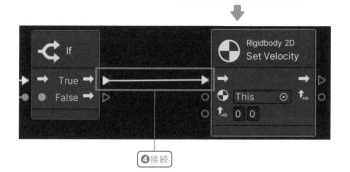

❸Set Velocity ノードが作成されます。

❹接続

❹If と Set Velocity を接続します。

Set Velocity

　Set Velocityは、オブジェクトを指定した移動速度と方向に移動させる機能を持ったノードです。横方向（X軸方向）と縦方向（Y軸方法）それぞれに値を指定できます（3D用のものはXYZ軸方向を指定できます）。

　このノード内で3段目に縦向きの値を指定すれば、マウスクリックのたびにプレイヤーが上向きに移動する機能を作れそうですが、実際には上手くいきません。試してみればわかりますが、プレイヤーは斜めの方向に飛んでいってしまいます。

　縦向きの移動方向を正しく設定するために「Create Vector 2」ノードを追加して、3段目に接続しましょう。

7 移動方向を指定するノードの作成

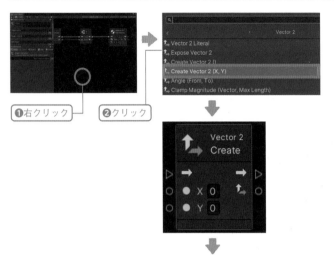

❶右クリック　❷クリック

❶スクリプトグラフの何もないところを右クリックします。

❷Codebase → Unity Engine → Vector 2→Create Vector 2（X, Y）をクリックします。

❸Create Vector 2ノードが作成されます。

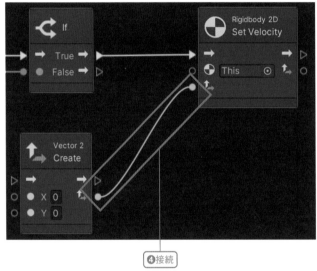

❹接続

❹Create Vector 2とSet Velocityを接続します。

Create Vector 2

　Set Velocityノードを利用すれば、指定した方向にオブジェクトを動かすことができます。作成直後のSet Velocityノードは「X」と「Y」はともに「0」で、動かす方向が設定されていません。ここでは、**Create Vector 2**ノードを使って、きちんと意図した方向に動くように設定しています。

　Create Vector 2ノードでは、「X」と「Y」の移動方向の情報をそれぞれに分割することができます。Xに「0」、Yに任意の値を指定することで、まっすぐ上向きに移動できるようになります。

132

07 ジャンプ力の変数

プレイヤーをクリックでジャンプさせる機能ができました。Create Vector 2 ノードのYに任意の値（例えば「6」）を指定してから実行すれば、クリックごとにプレイヤーが上向きに移動するのが確認できます。これで完成としてもよいのですが、もう1つ機能を加えてみましょう。

変数の仕組みを利用して、ジャンプ力を簡単に調整できるようにしましょう。**Get Object Variable**ノードで、インスペクターウィンドウで指定した変数の値を取得して利用できるようにします。

 ジャンプ力の変数を追加する

❶ヒエラルキーウィンドウでBird_Flyを選択します。

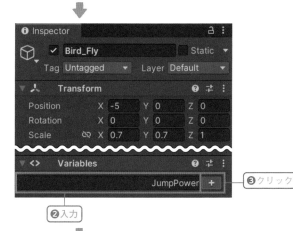

❷インスペクターウィンドウで「Variables」コンポーネントの名前欄に「JumpPower」と入力します。

❸＋をクリックします。

❹Typeで「Float」を選択します。

❺Valueに「6」を入力します。

JumpPower変数を追加して、ジャンプ力を設定しました。次はJumpPower変数を取得するノードを作成します。

2 変数を取得するノードの作成

❶右クリック

❷クリック

❹接続

❶スクリプトグラフの何もないところを右クリックします。

❷Variables → Object → Get Object Variable をクリックします。

❸Get Object Variable ノードで「JumpPower」を選択します。

> 変数名　JumpPower

❹Get Object Variable と Create Vector 2 を接続します。

Get Object Variable

Get Object Variableは、インスペクターウィンドウで指定した変数の値を取得できるノードです。

オブジェクトにスクリプトマシンをアタッチすると、ヒエラルキーウィンドウに「VisualScripting SceneVariables」オブジェクトが追加されます。これは、シーン全体で利用可能な変数を指定するためのオブジェクトです。同時に、スクリプトマシンをアタッチしたオブジェクトに、**Variables**コンポーネントが追加されます。このコンポーネントで変数を追加・指定します。

これでプレイヤーは完成です。「JumpPower」に指定した値によって、ジャンプ力が変化します。

ここまでの画面とスクリプトグラフは、それぞれ次のようになっています。

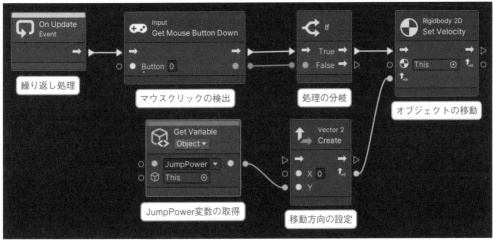

Memo

変数のデータ型

Variablesコンポーネントの Type には、数値や文字列など、**データ型**（変数に入る値の種類）を指定します。ここで指定した「Float」は、実数を扱うためのデータ型です。

08 障害物の作成

　ここからは、プレイヤーが飛び越えていく**障害物**を作成していきます。障害物は、上側と下側の2つの**柱**を1セットとして扱います。最初に、複数の柱をまとめて扱うための仕組みを用意しましょう。

　複数のオブジェクトをまとめて扱うためには、**空のオブジェクト**を利用します。

1 空のオブジェクトを作成する

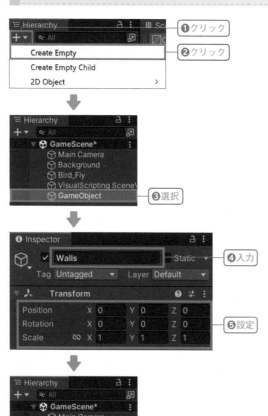

❶ヒエラルキーウィンドウの＋をクリックします。

❷Create Empty をクリックします。

❸GameObject を選択します。

❹インスペクターウィンドウで名前欄に「Walls」と入力します。

❺パラメータを設定します。

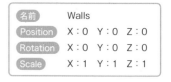

名前	Walls
Position	X：0　Y：0　Z：0
Rotation	X：0　Y：0　Z：0
Scale	X：1　Y：1　Z：1

❻Walls が作成されます。

2 柱のオブジェクトを作成する

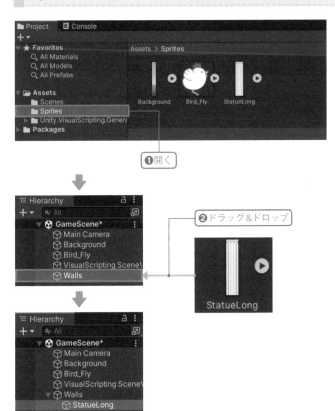

❶Assets→Sprites フォルダを開きます。

❷プロジェクトウィンドウのStatueLong をヒエラルキーウィンドウの Walls にドラッグ＆ドロップします。

❸柱のオブジェクトが追加されます。

※このままだと柱は背景の後ろに隠れてしまうので、Order in Layer で手前に表示されるように指定します。

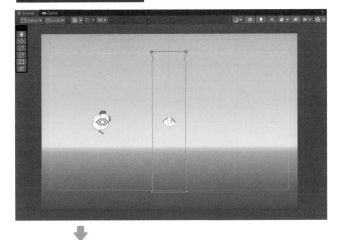

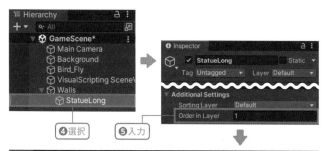

❹ヒエラルキー ウィンドウで StatueLong を選択します。

❺インスペクター ウィンドウで Order in Layer に「1」を入力します。

❻柱が手前に表示されるようになりました。

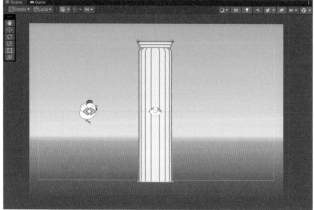

❹選択　❺入力

Memo

オブジェクトをまとめて動かす

　空のオブジェクトは、実体のないオブジェクトです。実体がないので、ヒエラルキーウィンドウに追加されても、シーンビュー上には何も表示されません。ここでは、空のオブジェクトを利用して、障害物のオブジェクトをまとめて動かす機能を作成します。

　ヒエラルキーウィンドウにオブジェクトを追加する際に、元からあるオブジェクトにドラッグ&ドロップすることで、元のオブジェクトと追加するオブジェクトを**親子関係**にすることができます。親子関係にあるオブジェクトは、親のオブジェクトを動かすと、子のオブジェクトもいっしょに動きます。この仕組みを利用すれば、複数のオブジェクトをまとめて動かす機能を作ることができます。

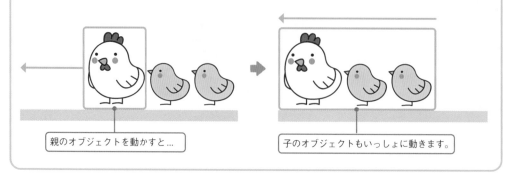

親のオブジェクトを動かすと…

子のオブジェクトもいっしょに動きます。

3 柱のパラメータを設定する

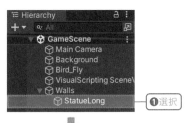

❶選択

❶ヒエラルキーウィンドウで StatueLong を選択します。

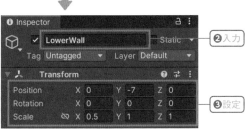

❷入力

❸設定

❷インスペクターウィンドウで名前欄に「LowerWall」と入力します。

❸パラメータを設定します。

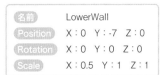

名前	LowerWall
Position	X : 0 Y : -7 Z : 0
Rotation	X : 0 Y : 0 Z : 0
Scale	X : 0.5 Y : 1 Z : 1

4 柱にコライダーを追加する

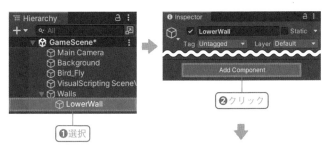

❶選択

❷クリック

❶ヒエラルキーウィンドウで LowerWall を選択します。

❷インスペクターウィンドウで Add Component をクリックします。

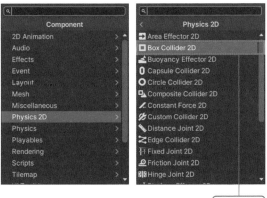

❸クリック

❸Physics 2D → Box Collider 2D をクリックします

❹下側の柱が作成されました。

　続けて、上側の柱を作成します。既に下側の柱は各種設定が完了しているので、これを複製して利用しましょう。

5 柱を複製する

❶ヒエラルキー ウィンドウで LowerWall を右クリックします。

❷Duplicate をクリックします。

※「LowerWall」を Duplicate で複製すると「LowerWall（1）」という名前で追加されます。

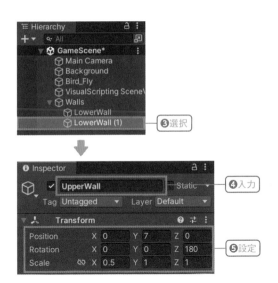

❸ヒエラルキーウィンドウで
LowerWall（1）を選択します。

❸選択

❹入力

❹インスペクターウィンドウで名
前欄に「UpperWall」と入力しま
す。
❺パラメータを設定します。

❺設定

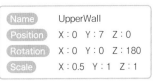

Name	UpperWall
Position	X : 0　Y : 7　Z : 0
Rotation	X : 0　Y : 0　Z : 180
Scale	X : 0.5　Y : 1　Z : 1

これで上下の柱が作成されました。次は、柱がプレイヤーに向かって移動するようにビジュ
アルスクリプティングで機能を作っていきましょう。

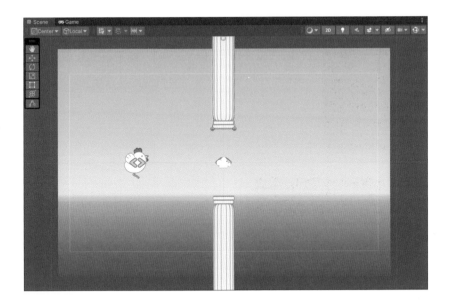

Chapter 4　2Dゲームの制作

09 柱を動かす

柱を画面右から左側に向かって動かします。柱の親オブジェクトである「Walls」を動かすことで、上下の柱もそれに合わせて移動するようになります。

オブジェクトの移動は **Translate** ノードで行います。

1 スクリプトマシンをアタッチする

❶選択

❶ヒエラルキーウィンドウでWalls
を選択します。

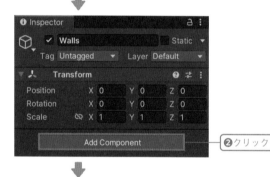

❷クリック

❷インスペクターウィンドウで
Add Component をクリックし
ます。

❸クリック

❸Visual Scripting → Script
Machine をクリックします。

142

スクリプトグラフを追加する

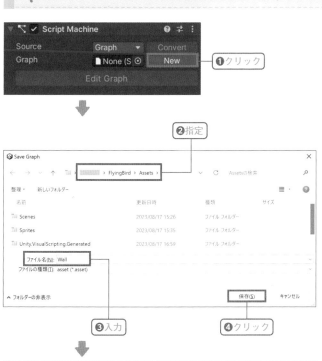

❶ New をクリックします。

※インスペクターウィンドウの「Script Machine」コンポーネントの「Graph」項目にあります。

❷ Assets フォルダを指定します。

❸ ファイル名に「Wall」と入力します。

❹ 保存をクリックします。

❺「Assets」フォルダに Wall という名前でスクリプトグラフが作成されます。

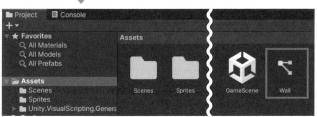

スクリプトグラフを開く

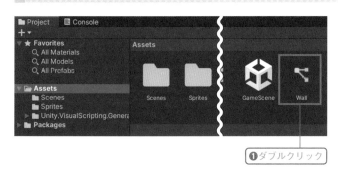

❶ プロジェクトウィンドウの Wall をダブルクリックします。

Chapter 4　2Dゲームの制作

オブジェクトを動かすノードの作成

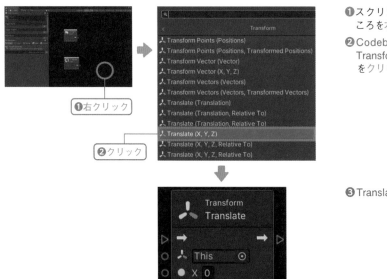

❶右クリック

❷クリック

❶スクリプトグラフの何もないと
ころを右クリックします。

❷Codebase → Unity Engine →
Transform→Translate（X , Y , Z）
をクリックします。

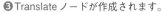

Transform
Translate

→ →

This ⊙

X 0

Y 0

Z 0

❸Translate ノードが作成されます。

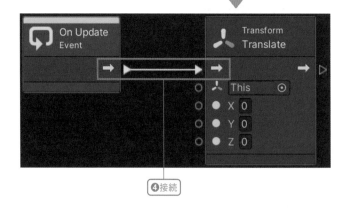

On Update
Event

→ →

Transform
Translate

→

This ⊙

X 0

Y 0

Z 0

❹接続

❹On Update と Translate を接続
します。

Translateノードの X に移動速度を指定します。ノード内で直接指定することも可能ですが、
ここでは Get Object Variable ノード（134ページを参照）を接続して、変数で移動速度を設定
できるようにしていきます。

144

10 移動速度の指定

移動速度を**変数**で指定できるようにしましょう。変数を追加し、TranslateノードのXに **Get Object Variable**ノードを接続します。

また、実行するパソコンごとに移動速度にバラツキが出ないように、**Get Delta Time**ノードを使って速度を調整します。

1 移動速度の変数を追加する

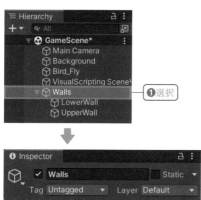

❶ヒエラルキーウィンドウでWalls を選択します。

❷インスペクターウィンドウで 「Variables」コンポーネントの名前欄に「Speed」と入力します。

❸＋をクリックします。

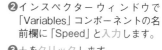

変数名	Speed

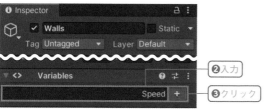

❹Type で「Float」を選択します。

❺Value に「3」を入力します。

Type	Float
Value	3

Memo

🐦 **不要なノードを削除する**

スクリプトグラフ上の不要なノードは削除できます。削除するノードを右クリックして、表示されるメニューからDeleteを選択します。

Chapter 4 2Dゲームの制作

2 変数を取得するノードの作成

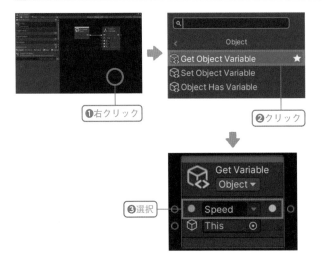

❶右クリック

❷クリック

❸選択

❶スクリプトグラフの何もないところを右クリックします。

❷Variables → Object → Get Object Variable をクリックします。

❸Get Object Variable ノードで「Speed」を選択します。

変数名　Speed

　変数を取得するGet Object Variableノードが追加できました。ただ、このままだと変数に「3」などの整数を指定した場合は、柱はプレイヤーとは逆の画面右側に向かって移動してしまいます。変数から取得した値に「-1」を掛けることで、左側に移動するようにします。

　掛け算を行う**Multiply**ノードと、数値を指定する**Float Literal**ノードを追加しましょう。

3 移動方向を反転する機能

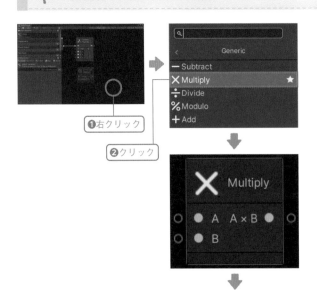

❶右クリック

❷クリック

❶スクリプトグラフの何もないところを右クリックします。

❷Math → Generic → Multiply をクリックします。

❸Multiply ノードが作成されます。

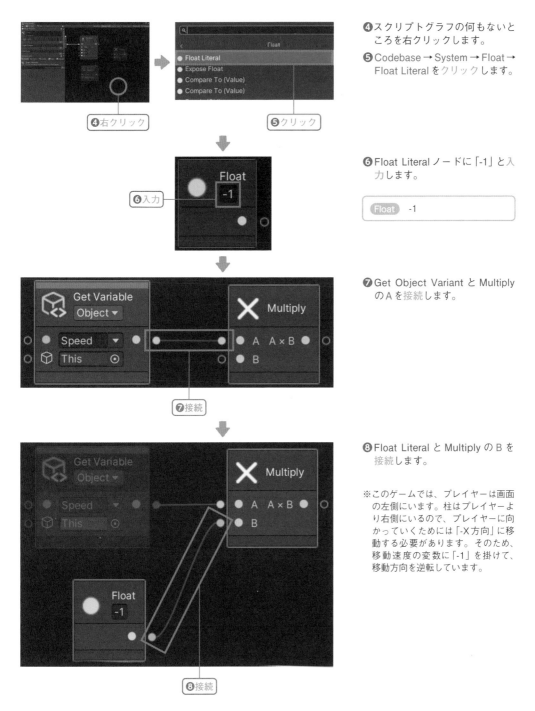

④スクリプトグラフの何もないところを右クリックします。

⑤Codebase → System → Float → Float Literal をクリックします。

⑥Float Literal ノードに「-1」と入力します。

⑦Get Object Variant と Multiply の A を接続します。

⑧Float Literal と Multiply の B を接続します。

※このゲームでは、プレイヤーは画面の左側にいます。柱はプレイヤーより右側にいるので、プレイヤーに向かっていくためには「-X方向」に移動する必要があります。そのため、移動速度の変数に「-1」を掛けて、移動方向を逆転しています。

これで、変数の値に「-1」を掛ける計算が行われるようになります。続けて、もう1つMultiplyノードを追加し、そこにGet Delta Timeノードを接続します。

Multiply

　Multiplyは計算を行うノードです。「A」と「B」の値を掛け算した結果を出力します。ここでは、移動方向を反転するために変数の値に「-1」を掛けるものと、移動速度を一定にするために「Delta Time」を掛けるものの2つを作成します。

Float Literal

　「xx Literal」という名前のノードは、何らかの数値や文字などを指定する場合に利用します。**Float Literal**は、数値を指定するためのノードです。

 4 移動速度を一定にする機能

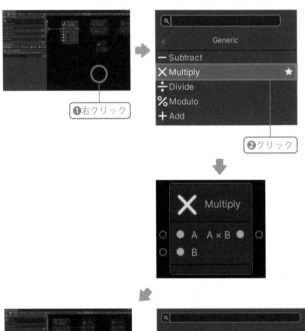

❶スクリプトグラフの何もないところを右クリックします。

❷Math → Generic → Multiply をクリックします。

❸Multiplyノードが作成されます。

❹スクリプトグラフの何もないところを右クリックします。

❺Time→Get Delta Timeをクリックします。

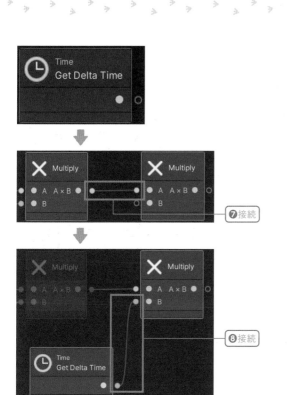

❻Get Delta Time ノードが作成されます。

❼1つ目のMultiplyと2つ目のMultiplyのAを接続します。

❽接続

❽Get Time Delta と 2 つ 目 のMultiplyのBを接続します。

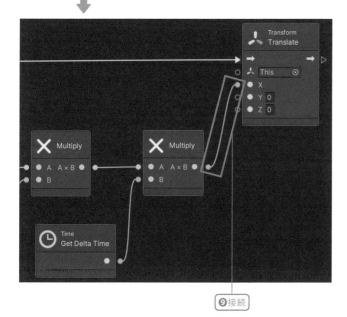

❾2つ目のMultiplyとTranslateのXを接続します。

❾接続

Chapter 4　2Dゲームの制作

これで柱を移動させる機能が完成.です。スマートグラフは次のようになっています。

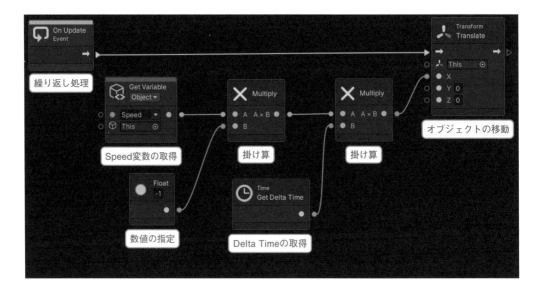

Get Delta Time

実行する環境によって各機能の処理速度はまちまちです。これは、実行する環境のスペックなどに依存します。

Unityでは、環境による処理速度の違いをなくすための仕組みとして**Delta Time**という値が用意されています。**Get Delta Time**ノードは、Delta Timeを取得します。速度のパラメータにDelta Timeを掛けることで、環境が変わっても一定の速度で実行できるようになります。詳しい解説は省略させていただきますが、定番のテクニックとして覚えておくとよいでしょう。

実行して動作を確認してみましょう。柱が画面左側に向かって移動すれば成功です。変数の値を変更すると、移動速度が変わることも確認してみてください。

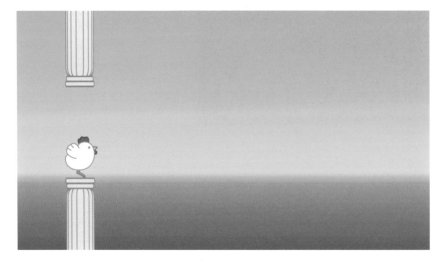

柱の消去

今のままだと、柱が画面外へ移動した後もオブジェクト自体は消えずにいつまでも残ったままになってしまいます。画面外に出た柱のオブジェクトを**消去する**機能を作りましょう。

オブジェクトの消去は**Destroy**ノードで行います。また、消去するオブジェクトは**This**ノードで指定します。

オブジェクトを消去するノードの作成

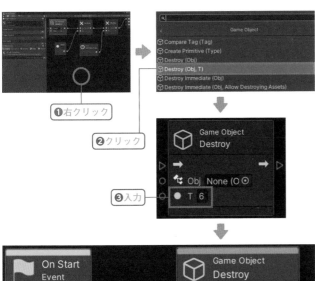

❶「Wall」スクリプトグラフの何もないところを**右クリック**します。

❷Codebase → Unity Engine → Game Object → Destroy (Obj, T) を**クリック**します。

❸Destroyノードの T に「6」と入力します。

⚪ T　6

※ [T] は消去されるまでの時間です。ここでは6秒後に消去されるようにしています。

❹On StartとDestroyを**接続**します。

Destroy

Destroyはオブジェクトを消去するノードで、消去する対象だけを指定するタイプと（こちらはChapter3で使用しました）、消去までの時間を指定できるタイプがあります。時間を指定できるタイプでは、Tに指定した秒数後にオブジェクトが消去されます。

自分自身を取得するノードの作成

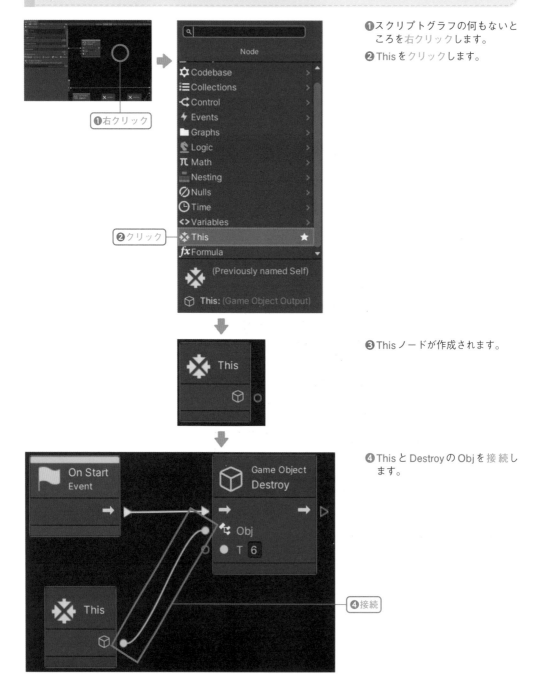

❶スクリプトグラフの何もないところを右クリックします。

❷This をクリックします。

❸This ノードが作成されます。

❹This と Destroy の Obj を接続します。

これで、柱を消去する機能は完成です。スクリプトグラフは、次のようになっています。実行して、柱のオブジェクトが消去されることを確認しましょう。

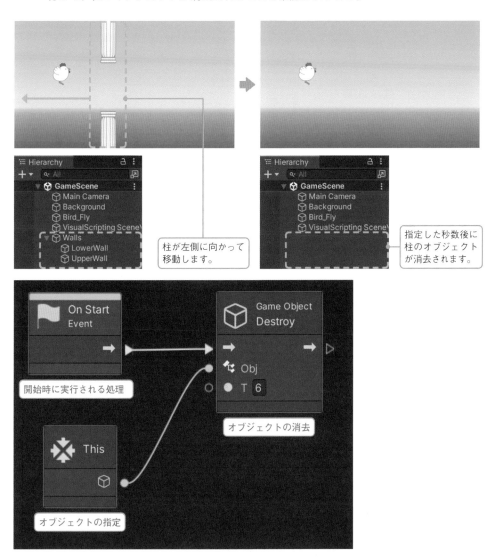

柱が左側に向かって移動します。

指定した秒数後に柱のオブジェクトが消去されます。

開始時に実行される処理

オブジェクトの消去

オブジェクトの指定

This

Thisは自分自身のオブジェクトを取得するノードです。このスクリプトグラフは「Walls」オブジェクトに適用されているので、「Walls」が自分自身として取得されます。

柱の生成

　ここまでできたら、柱を**プレハブ**にしましょう。また、ヒエラルキーウィンドウにある「Walls」は不要になるので削除しましょう。

　そして、ゲームのルールとして、**柱が無限**に生成される機能をビジュアルスクリプティングで作成していきます。ここでは、**ステートマシン**（State Machine）を利用します。**空のオブジェクト**を用意して、そこにアタッチしていきましょう。

1 柱をプレハブにする

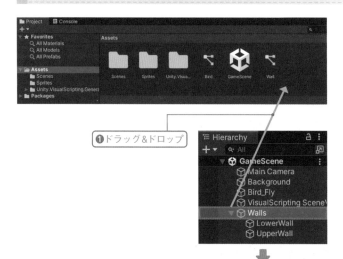

❶ヒエラルキーウィンドウのWalls をプロジェクトウィンドウの Assets フォルダにドラッグ＆ド ロップします。

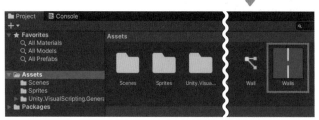

❷Wallsのプレハブが作成されます。

柱を削除する

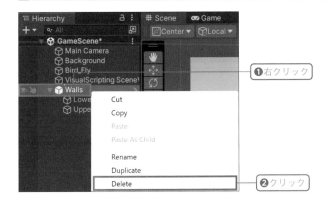

❶右クリック

❷クリック

❶ヒエラルキーウィンドウのWalls
を右クリックします。

❷Delete をクリックします。

※シーンビューからも柱（Walls）が削
除されることが確認できます。

空のオブジェクトを追加する

❶クリック

❷クリック

❸選択

❹入力

❶ヒエラルキーウィンドウの＋を
クリックします。

❷Create Empty をクリックします。

❸GameObject を選択します。

❹インスペクターウィンドウで名
前欄に「GameManager」と入力
します。

名前　GameManager

4 ステートマシンをアタッチする

❶ヒエラルキー ウィンドウで GameManager を選択します。

❶選択

❷クリック

❷インスペクター ウィンドウで Add Component をクリックします。

❸クリック

❸Visual Scripting → State Machine をクリックします。

Memo

🐦 ステートマシンで状態に合わせた機能を作成する

　これまで使ってきたスクリプトマシン（Script Machine）が「○○だったら△△する」という考え方で機能を作っていくのに対して、ステートマシン（State Machine）はコンテンツが「実行された」「終了された」などの状態（State）に合わせた機能を作成するのに利用します。ここでは、「実行されたら柱を作る」機能に利用しています。

13 一定時間で生成

ステートマシンが追加できたら、スクリプトグラフでノードを作成していきましょう。ここでは、柱を**一定時間で生成**する機能を作ります。また。柱の位置が同じだとゲームとして面白くないので、柱の位置が**ランダム**で変わる機能も組み込みます。

1 スクリプトグラフを作成する

❶ヒエラルキー ウィンドウで GameManager を選択します。

❷New をクリックします。

※インスペクターウィンドウの「State Machine」コンポーネントの「Graph」項目にあります。

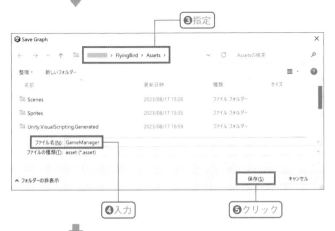

❸Assets フォルダを指定します。

❹ファイル名に「GameManager」と入力します。

❺保存をクリックします。

ファイル名　GameManager

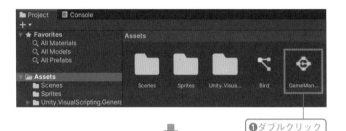

❻プロジェクトウィンドウに
GameManager スクリプトグラ
フが作成されます。

一度だけ実行する機能のノードの作成

❶プロジェクトウィンドウの
GameManager をダブルクリッ
クします。

❶ダブルクリック

❷スクリプトグラフでStartノード
をダブルクリックします。

❷ダブルクリック

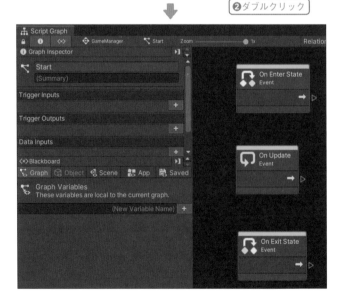

❸On Enter State、On Update、
On Exit Stateノードが表示され
ます。

3 ランダムな値を生成する機能

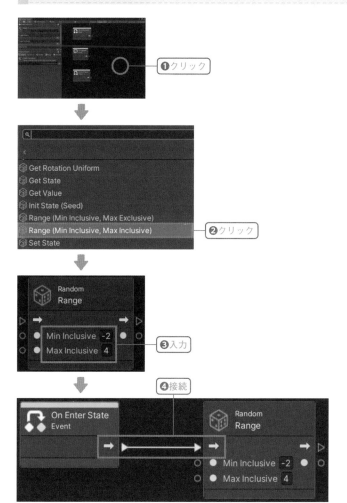

❶クリック

❷クリック

❸入力

❹接続

❶スクリプトグラフの何もないところを右クリックします。

❷Codebase → Unity Engine → Random → Range (Min Inclusive, Max Inclusive) をクリックします。

❸Random Range ノードの Min Inclusive に「-2」、Max Inclusive に「4」を入力します。

❹On Enter State と Random Range を接続します。

※スクリプトグラフを再起動した場合は、「Start」ノードをダブルクリックして「On Enter State」を表示しましょう。

On Enter State

　ステートマシンのスクリプトグラフには、最初は「Start」ノードが1つ用意されています。コンテンツが実行状態になると、この「Start」が呼び出されて実行されます。

　このノードをダブルクリックすることで、**On Enter State**、**On Update**、**On Exit State**の3つのノードが表示されます。

　On Enter Stateには、Startが呼び出された際に一度だけ実行する機能を接続します。On Updateには繰り返し実行する機能、On Exit StateにはStartを終了する際に実行する機能を接続します。

Random Range

Random Rangeはランダムな値を生成するノードです。実行されるごとに、最小値（Min）から最大値（Max）の間の値をランダムに生成します。

ここでは、生成した値を柱の縦方向（Y軸方向）の座標に指定することで、柱の位置を変化させるようにしています。

柱の位置を指定する機能

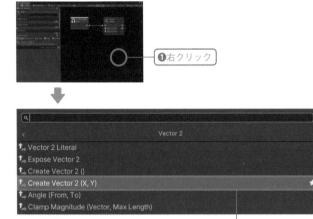

❶スクリプトグラフの何もないところを右クリックします。

❷Codebase → Unity Engine → Vector 2 → Create Vector 2 （X,Y）をクリックします。

❸Create Vector 2ノードが作成されます。

※「Create Vector 2」ノードについては132ページを参照してください。

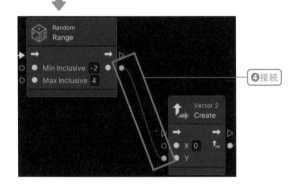

❹Random Range と Create Vector 2を接続します。

※スクリプトグラフを再起動した場合は、「Start」ノードをダブルクリックして「On Enter State」を表示しましょう。

5 柱を生成する機能

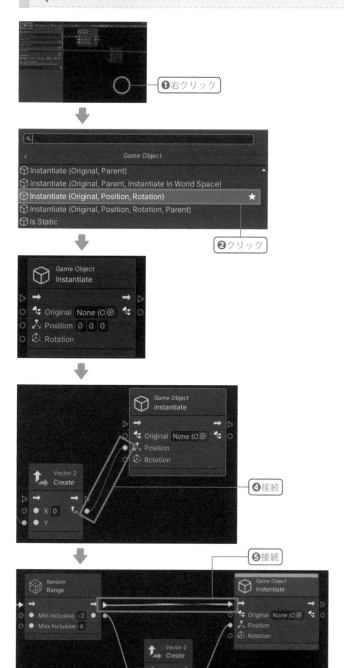

❶右クリック

Game Object

Instantiate (Original, Parent)
Instantiate (Original, Parent, Instantiate In World Space)
Instantiate (Original, Position, Rotation)   ★
Instantiate (Original, Position, Rotation, Parent)
Is Static

❷クリック

Game Object
Instantiate

Original None (O ⊙
Position 0 0 0
Rotation

Game Object
Instantiate

Original None (O ⊙
Position
Rotation

❹接続

Vector 2
Create

X 0
Y

❺接続

Random
Range

Min Inclusive -2
Max Inclusive 4

Game Object
Instantiate

Original None (O ⊙
Position
Rotation

Vector 2
Create

X 0
Y

❶スクリプトグラフの何もないところを右クリックします。

❷Codebase → Unity Engine → Game Object → Instantiate（Original,Position,Rotation）をクリックします。

❸Instantiate ノードが作成されます。

❹Create Vector 2 と Instantiate の Position を接続します。

❺Random Range と Instantiate を接続します。

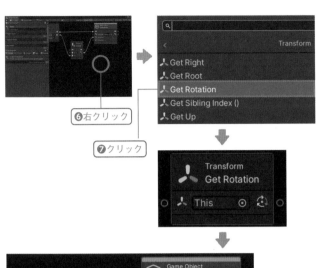

⑥スクリプトグラフの何もないところを右クリックします。

⑦Codebase → Unity Engine → Transform → Get Rotation をクリックします。

⑧Get Rotation ノードが作成されます。

⑨Get Rotation と Instantiate の Rotation を接続します。

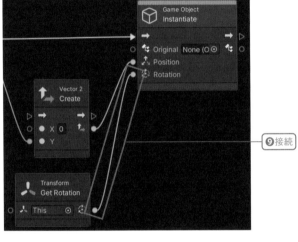

Instantiate

Instantiateは、オブジェクトを生成するノードです。生成するオブジェクトをOriginalに指定します。またPositionとRotationに生成する際の位置と角度を指定します。ここでは、オブジェクトを指定するための変数を用意して、そこからオブジェクトを指定できるようにしていきます。

Get Rotation

Get Rotationは、オブジェクトの角度（Rotation）の情報を取得するノードです。今は「This」が指定されているので、ステートマシンがアタッチされているオブジェクト（GameManager）の情報が取得されています。ここも、変数でオブジェクトを指定できるようにしていきます。

オブジェクトの指定

変数を用意して、そこから生成するオブジェクトを指定できるようにしましょう。**Get Object Variable**ノードを追加して、InstantiateとGet Rotationノードに接続します。

1 変数にオブジェクトを設定する

❶ヒエラルキーウィンドウで GameManagerを選択します。

❷インスペクターウィンドウで 「Variables」コンポーネントの名 前欄に「Target」と入力します。

❸＋をクリックします。

変数名	Target

❹Typeで「Game Object」を選択 します。

❺Valueにプロジェクトウィンド ウのWallsをドラッグ＆ドロッ プします。

Type	Game Object
Value	Walls

変数を取得するノードの作成

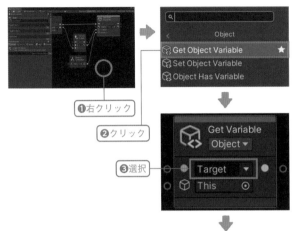

❶右クリック

❷クリック

❸選択

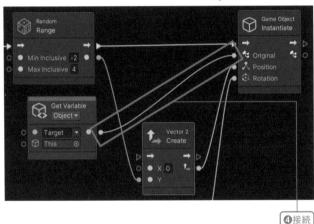

❹接続

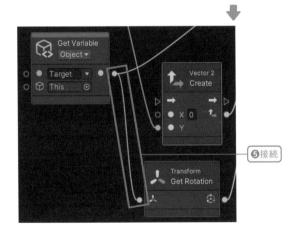

❺接続

❶スクリプトグラフの何もないところを右クリックします。

❷Variables → Object → Get Object Variable をクリックします。

❸Get Object Variable ノードで「Target」を選択します。

> 変数名 Target

❹Get Object Variable と Instantiate の Original を接続します。

❺Get Object Variable と Get Rotation を接続します。

この状態で実行して動作を確認してみましょう。実行と同時に柱が生成されて、プレイヤーに向かって動いていきます。実行するごとに柱の位置が変更されることも確認してください。

ここまでのスクリプトグラフは、次のようになっています。

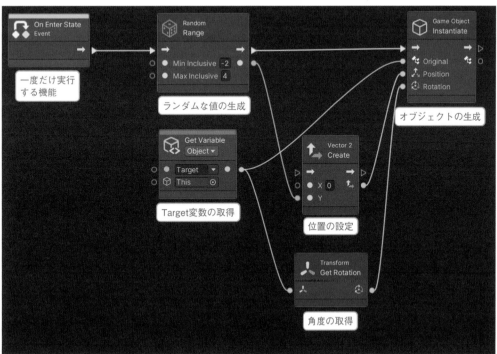

15 連続で生成

柱がランダムな位置に生成されるようになりました。ただし、今の状態では実行時に一組の柱が生成されるだけで、ゲームとして面白くないですね。柱が**連続して生成される**ようにしましょう。そのためには、柱を生成する機能が一定時間で繰り返し呼び出されるようにします。

1 繰り返し実行されるようにする

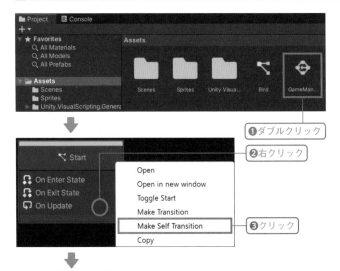

❶プロジェクトウィンドウの GameManager をダブルクリックします。

❷スクリプトグラフで Start を右クリックします。

❸Make Self Transition をクリックします。

❹自分自身に接続するトランジションが作成されます。

Make Self Transition

Make Self Transitionによって、自分自身に接続するトランジション（状態遷移）を作成できます。状態遷移を切り替える条件を加えることにより、「Start」を実行した後に、再び「Start」が実行される（繰り返し実行される）ようになります。

2 実行されるステートを指定する

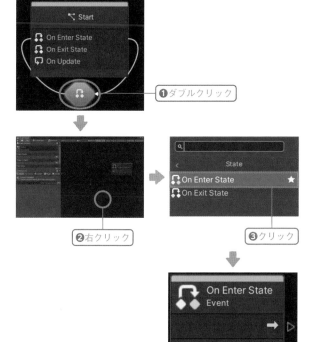

❶状態遷移のマークをダブルク リックします。

❷スクリプトグラフの何もないと ころを右クリックします。

❸Events → State → On Enter State をクリックします。

❹On Enter State ノードが作成さ れます。

※これで On Enter State が繰り返し実 行されるようになります。

3 実行されるタイミングを指定する

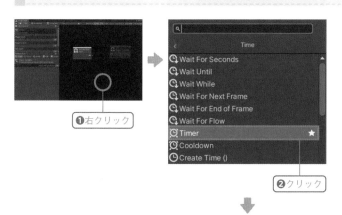

❶スクリプトグラフの何もないと ころを右クリックします。

❷Time → Timer をクリックします。

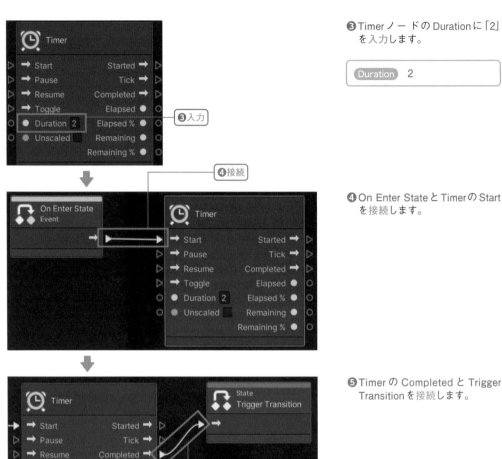

❸Timerノードの Duration に「2」を入力します。

❹On Enter State と Timer の Start を接続します。

❺Timer の Completed と Trigger Transition を接続します。

Timer

　Timerノードを使えば「〇秒以上経過したら状態を移行する」ということができます。ここでは Duration（経過時間）を「2」としています。Completedは完了を意味します。

　このように設定することで、「On Enter Stateの機能を2秒間待ってから実行し、実行が完了したら次のノードに移動する」という機能を作ることができます。

Trigger Transition

Trigger Transitionは状態遷移を実行するノードです。状態遷移をダブルクリックすると自動で作成でされます。

「Start」の実行が完了したら、トランジションで接続された「状態」へと遷移します。ここでは、「Start」のトランジションは自分自身に接続されているので、再び「Start」が実行されることになります。

これで完成です。スクリプトグラフは次のようになっています。

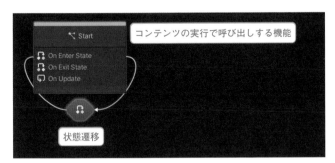

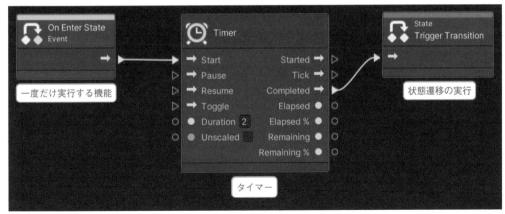

Chapter 4　2Dゲームの制作

169

完成　これでゲームは完成です。2秒ごとに柱が生成され、プレイヤーに向かって動いていきます。マウスクリックでプレイヤーをジャンプさせて、柱をよけていきましょう。

プレイヤーのジャンプ力や柱を生成する間隔は、それぞれのパラメータを変更することで調整可能です。パラメータを変更すれば、ゲームの難易度も変わります。是非、試してみてください。

Chapter4では、**2Dゲーム**を制作しながら、**本格的なビジュアルスクリプティング**に挑戦しました。ここで紹介したビジュアルスクリプティングは、さまざまなゲーム制作に利用できます。次の章からは、違うゲームを制作しながら、ビジュアルスクリプティングをさらに解説していきます。

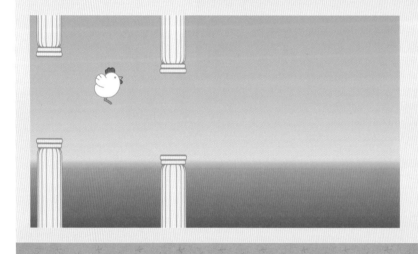

Chapter 5

ビジュアルスクリプティングの
学習 1

　ここまでの章で、Unityでのコンテンツ制作の方法やビジュアルスクリプティングの基本について学習してきました。ここからは、Unityの機能やビジュアルスクリプティングについて、もう少し踏み込んで学習していきましょう。

　Chapter5では、ブロック崩しゲームを例に、キーボードでプレイヤーを操作する方法や、ボールを物理的に動かす方法、スコアを表示する方法などを学んでいきます。

01 「ブロック崩し」の概要

　ここまでの章では、サンプルを制作しながらUnityの操作方法ならびにビジュアルスクリプティングの基本について学習してきました。ここからは、既に完成したサンプルのプロジェクトをベースに、もう少し踏み込んでUnityの機能やビジュアルスクリプティングについて解説していきます。

　この章では、次のような「ブロック崩し」ゲームを例に解説を行います。プレーヤーのキー操作やスコア表示など、ゲーム制作に役立つ機能をビジュアルスクリプティングで作成していきます。サンプルのプロジェクトをUnity Hubから開いて、ゲームを実行しながら動作を確認していきましょう。

　サンプルのプロジェクトは、本書のサポートページからダウンロード可能です。ダウンロードならびにプロジェクトの開き方は、5ページを参照してください。

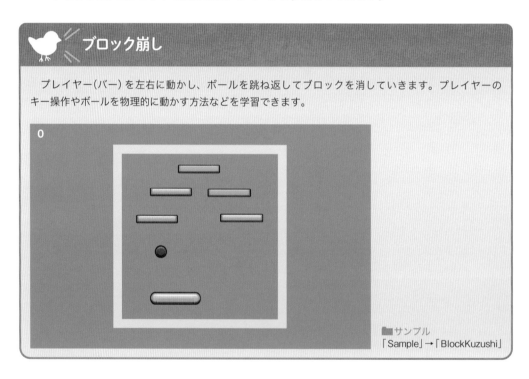

▌「ブロック崩し」の構成

ブロック崩しのプロジェクトは、次ようなオブジェクトで構成されています。各オブジェクトの役割は、表をご確認ください。

● 「ブロック崩し」の構成

MainCamera	シーン全体を映しているカメラです。
ScoreTextManager	スコア表示を行うためのスクリプトマシンがアタッチされた空のオブジェクトです。
Player	プレイヤー (バー) です。キーボード操作で左右に動かせます。
VisualScripting SceneVariables	シーン全体で扱う変数を設定するためのオブジェクトです。
Ball	ボールです。画面内を物理的な挙動で動き回ります。
Canvas	スコア表示用のテキストです。Canvasの子オブジェクトとしてScoreTextがあります。
EventSystem	UIのボタンを押すなどのイベントを発生させるためのものです。自動的に追加されますが、今回はその機能は使用していません。
Blocks	シーンに配置されているブロックです。ボールが当たるとスコアが加算されて消えます。Blocksの子オブジェクトとしてBlock1～Block5があります。
Walls	プレイヤー、ボール、ブロックを囲む壁のオブジェクトです。Wallsの子オブジェクトとしてWall1～Wall4があります。

◗○ オブジェクトの配置

オブジェクトの配置は、次のようになります。

プレイヤー(Player)、**ボール**(Ball)、**ブロック**(Block)はスプライトを利用しています。**スコア**(ScorcTcxt)は画面左上に表示されます。周囲を囲む**壁**(Wall)は、プリミティブ素材のSquareを利用して作成しました。各オブジェクトの位置(Position)や大きさ(Scale)配置については、サンプルのプロジェクトファイルをご確認ください。

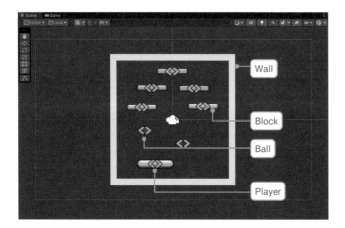

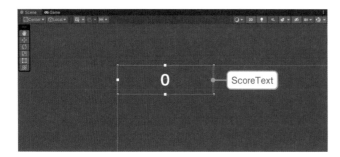

◉ スクリプトグラフ

ブロック崩しには、4つのスクリプトグラフがあります。それぞれの役割は、表をご確認ください。

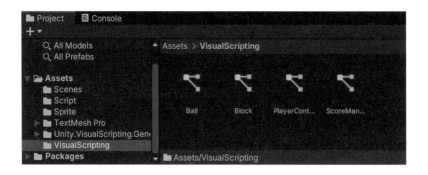

● スクリプトグラフ

Ball	Ballオブジェクトに設定されています。ボールを指定した速度と向きに動かします。
Block	Blockオブジェクトに設定されています。ボールと接触したブロックを消去します。
PlayerController	Playerオブジェクトに設定されています。プレイヤーを左右に動かします。
ScoreManager	ScoreTsxtManagerオブジェクトに設定されています。スコアの追加・表示を行います。

02 プレイヤーのキー操作

それでは、最初に「ブロック崩し」を体験してみましょう。

このゲームでは、プレイヤーはキーボードの→キーかDキーを押している場合は右に、←キーかAキーを押している場合は左に動くようになっています。**キー操作でプレイヤーを動かす**機能は、ビジュアルスクリプティングで作成しています。

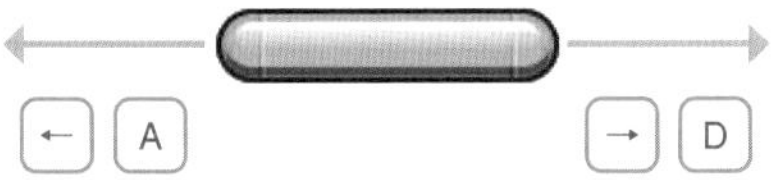
←
A
→
D

プレイヤーのオブジェクト

プレイヤーのオブジェクト(Player)には、リジッドボディ(Rigidbody 2D)、コライダー(Box Collider 2D)、スクリプトマシン(Script Machine)がアタッチされています。

リジッドボディ

リジッドボディ(Rigidbody 2D)は、オブジェクトに物理挙動を与えるためのコンポーネントです。また、ボールとの当たり判定を行うためにも必要となります(88ページを参照)。

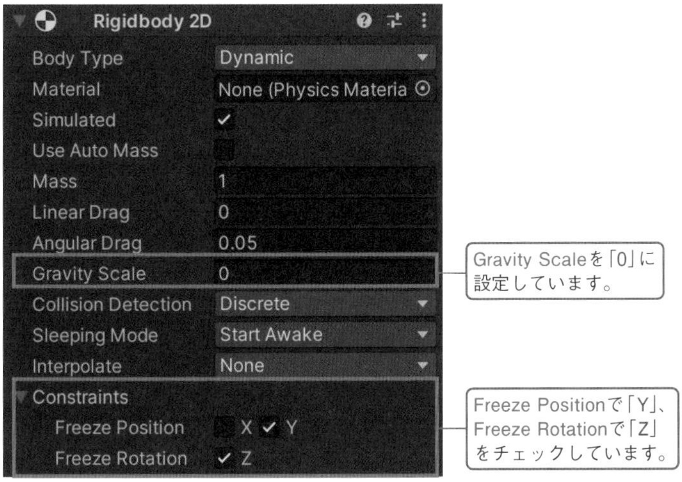
Rigidbody 2D
Body Type
Dynamic
Material
None (Physics Materia
Simulated
Use Auto Mass
Mass
1
Linear Drag
0
Angular Drag
0.05
Gravity Scale
0
Collision Detection
Discrete
Sleeping Mode
Start Awake
Interpolate
None
Constraints
Freeze Position
X
Y
Freeze Rotation
Z
Gravity Scaleを「0」に設定しています。
Freeze Positionで「Y」、Freeze Rotationで「Z」をチェックしています。

プレイヤーが重力にしたがって落下してしまわないように、Gravity Scaleを「0」にしています。Gravity Scaleは重力を再現するパラメータです。値が大きいほど強く重力が働くようになります。

Constraintsは、位置（Position）や角度（Rotation）を制限することができます。ここでは、プレイヤーにボールが当たった時に下（Y軸方向）に動いてしまったり、回転してしまわないように制限をかけるために、Freeze PositionのYとFreeze RotationのZにチェックを入れてあります。

◉ コライダー

コライダー（Box Collider 2D）は、オブジェクトの当たり判定を行うためのコンポーネントです。ここでは、ボールや周囲を囲む壁との間で当たり判定を行っています。

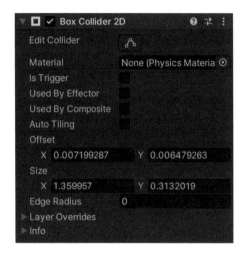

◉ スクリプトマシン

スクリプトマシン（Script Machine）は、ビジュアルスクリプティングを行うためのコンポーネントです。ここでは、PlayerControllerというスクリプトグラフを追加し、そのなかで、**キー操作でプレイヤーを動かす**機能の作成を行っています。スクリプトグラフの追加方法は、82ページなどを参照してください。

PlayerControllerスクリプトグラフが追加されています。

⬡◯ 変数の設定

Variablesは、変数を設定するためのコンポーネントです。スクリプトマシンをアタッチすると、自動で追加されます。ここでは、プレイヤーの移動速度をPlayerSpeed変数で指定できるようにしてあります。

プレイヤーの移動速度を指定するPlayerSpeed変数が設定されています。

▌ プレイヤーを動かす機能

プレイヤーを動かすためのPlayerControllerスクリプトグラフは、次のようになっています。キー操作でプレイヤーを左右に動かすことができます。

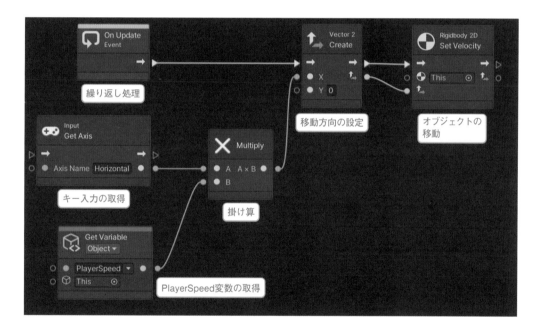

⬡◯ キー入力の取得

Get Axisは、キー入力を取得するノードです。ノードの作成については、83ページなどを参照してください。

Get Axisの値は、最初は「0」になっています。Axis Nameに「Horizontal」を指定した場合、キーボードの→キーかDキーを押している間は、値は徐々に「1」に近づいていきます（1以上の値にはなりません）。そして←キーかAキーを押している間は、「-1」に徐々に近づいていきます。どちらのキーにも触れていない場合は「0」に戻ります。

Get Axis

Get Axisノードで、入力されたキーを取得することができます。Axis Nameには、取得するキーの方向を指定します。「Horizontal」と入力することで、横方向のキー(左右の矢印キーや $\boxed{A}\boxed{D}$ キー)を取得できます。縦方向のキーを取得する場合は「Vertical」と入力します。

Codebase→Unity Engine→Input→Get Axis(Axis Name)で作成します。

なぜ「Horizontal」で指定できるのか？

なぜ「Horizontal」と入力することで、横方向のキーが取得できるようになるのでしょうか？

プロジェクトを新しく作成した時点で、Unityエディターによって「Edit」→「Project Settings」→「Input Manager」内でインプット情報が定義されます。ここでは、その定義されたインプット情報を使用しています。

◉○ 移動速度の変数の取得

Get Object Variableは、変数を取得するノードです(134ページを参照)。ここでは、PlayerSpeed変数の値を取得しています。PlayerSpeed変数の値は、インスペクターウィンドウのVariablesコンポーネントで「5」を指定しています。

◉○ 移動速度の計算

Multiplyは、掛け算を行うノードです(148ページを参照)。ここでは、MultiplyノードのAにGet Axisノードを繋いで、BにはGet Object Variableノードを繋いでいます。

既に説明したように、Get Axisノードの値はキーの押し下げ状況によって「-1」から「1」の間で変わります。Get Object VariableのPlayerSpeed変数の値は「5」に設定されているので、掛け算の結果は「-5」から「5」の間で変化します。

178

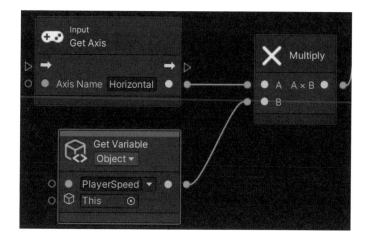

Create Vector 2ノードで移動方向を設定します（132ページを参照）。Multiplyの掛け算の結果をXに繋いでいます。こうすることで、X軸（横軸）方向にプレイヤーを動かせるようになります。

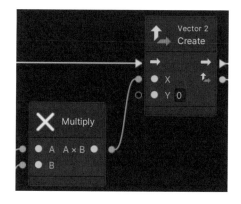

プレイヤーの移動

Set Velocityは、オブジェクトを移動させるノードです（131ページを参照）。Create Vector 2で設定した方向に合わせて、オブジェクトを移動させます。

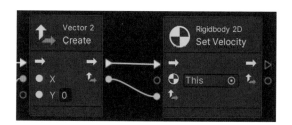

縦方向に動かす

　Get AxisノードのAxis Nameに「Vertical」を入力することで、縦方向のキー（上下の矢印キー、S W キー）を取得することができます。

　サンプルのAxis Nameを「Vertical」に変更してから実行すると、縦方向のキーに合わせてプレイヤーが移動することが確認できます（ただし、Verticalに変えただけだとプレイヤーは左右に移動するので、もうひと工夫が必要です）。

　「Horizontal」と「Vertical」、それぞれ用のGet Axisノードを用意することで、上下左右にプレイヤーを動かすことができるようになります。次のように「Vertical」用のノードを用意して、Create Vector 2のYと接続します。なお、サンプルではプレイヤーが縦方向に動かないようにFreeze PositionでYをチェックしています（175ページを参照）。このチェックを外してから実行してください。

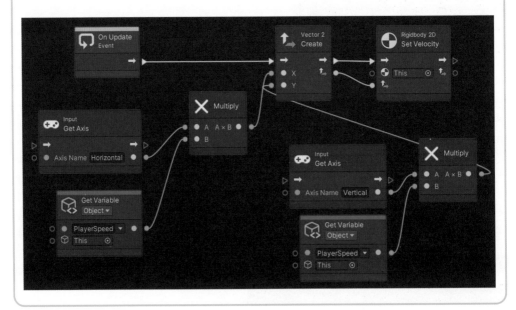

ボールを動かす

ブロック崩しを実行すると、初期の設定のままであれば、ボールは「X：4.0、Y：4.0」の方向（右斜め上方向）に跳んでいきます。

ボールは、プレイヤーやブロック、周囲の壁にぶつかったら反射します。ここでは、**ボールを動かす**機能について解説します。

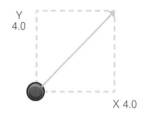

▍ボールのオブジェクト

ボールのオブジェクト（Ball）には、リジッドボディ（Rigidbody 2D）、コライダー（Circle Collider 2D）、スクリプトマシン（Script Machine）がアタッチされています。

◉ リジッドボディ

リジッドボディ（Rigidbody 2D）では、Massを「0.01」に設定しています。Massは、質量を表すパラメータです。初期値は「1」になっていて、これは「1キログラム」ということになります。ここではボールが軽く飛んでいくように、「0.01」（10グラム）にしています。

また、重力によって落下しないように、Gravity Scaleを「0」にしています。

Collision Detectionで「Continuous」を設定しています。これで、ボールがオブジェクトをすり抜けるのを防いでいます。ボールはプレイヤーや壁に何度もぶつかることで加速していきます。そのため、Discreteだとボールが貫通してしまう場合があります。その対策として、連続で衝突判定を行ってくれる「Continous」にしています。

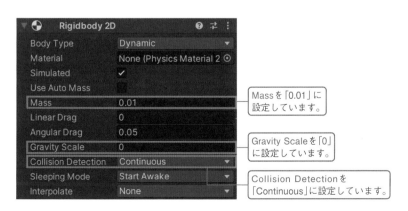

Massを「0.01」に設定しています。

Gravity Scaleを「0」に設定しています。

Collision Detectionを「Continuous」に設定しています。

> ## Memo
>
> ### オブジェクトがすり抜けないようにする
>
> Collision Detectionでは、オブジェクトとの衝突の判定を実施する間隔を指定することができます。
> 「Discrete」を選択すると、不連続な衝突の判定を行います。そのため、判定を行わないタイミングで
> オブジェクトが衝突した場合は、すり抜けてしまう可能性があります（すごく速いオブジェクトが当たっ
> た場合はすり抜けが起きることがあります）。「Continuous」は、連続的な衝突の判定を行います。速い
> スピードのオブジェクトがぶつかってもすり抜けを防ぎます。
>
> Discreteは、不連続に衝突の判定を行うので、Continuousより軽い処理になります。オブジェクトの
> スピードがゆっくりな場合は、Discreteを選択するとよいでしょう。

● コライダー

　　ボールにも、ブロックや壁と当たり判定を行うために、コライダー（Circle Collider 2D）を
アタッチしています。

　　Materialには Ballを適用しています。Ballは 2D用の物理マテリアル（Physic Material 2D）
です。物理マテリアルについては57ページを参照してください。

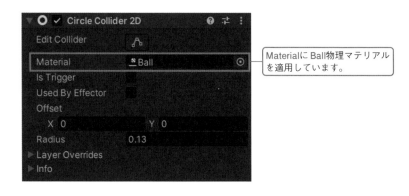

Materialに Ball物理マテリアル
を適用しています。

　　Frictionは摩擦係数（0 ～ 1）です。Bouncinessは衝突時の弾む強さ（0 ～ 1）で、「0」だと
まったく弾くことはなく、「1」にするとすごく弾みます。ここでは、Frictionを「0」にして
Bouncinessを「1」にすることで、ボールが他のオブジェクトにぶつかっても減速して止まる
ことない状態にしています。

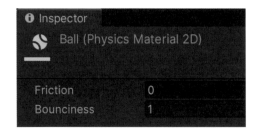

スクリプトマシン

ここでは、ボールのオブジェクトにBallというスクリプトグラフを追加しています。Ballには、**指定したスピードでボールを動かす機能**を作成します。

Ballスクリプトが
追加されています。

変数の設定

Variablesコンポーネントで、ボールの移動速度を指定するBallSpeed変数を設定しています。ここでは、移動速度として「4」を指定しています。

Memo

マテリアルの名前変更

アセットとして追加したマテリアルや物理マテリアルは、自由に名前を変更することができます。
プロジェクトウィンドウで変更するマテリアルを右クリックし、表示されるメニューからRenameをクリックして名前を設定します。

▌ ボールを動かす機能

ボールを動かすためのBallスクリプトグラフは、次のようになっています。ブロック崩しが実行されると、BallSpeed変数で指定した速度で、ボールが押されて跳んでいきます。

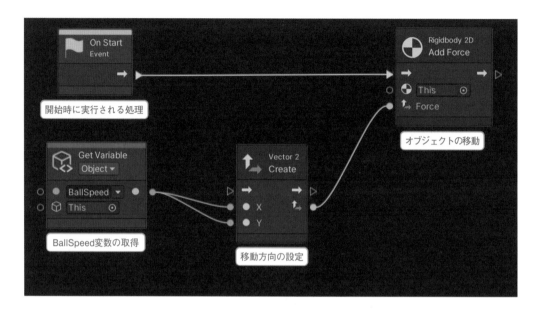

◉ ボールの速度の取得

Get Object Variableは、変数の値を取得するノードです。ここでは、ボールの移動速度を指定するBallSpeed変数の値を取得しています。

Create Vector 2で、BallSpeed変数の値から、X軸とY軸方向の移動方向を設定しています。

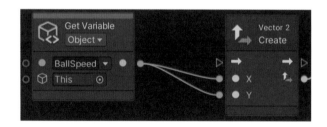

◉○ **ボールを動かす**

Add Forceノードで、オブジェクトを指定した方向と力で押し出すように移動させます。

移動する方向と力は、Forceに接続したCreate Vector 2ノードで設定します。

On Startに接続することで、ブロック崩しの開始時にボールが動き始めるようになります。

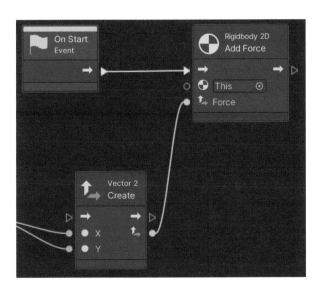

Add Force

Add Forceは、オブジェクトを移動させるノードです。移動する向きと力をForceに指定します。

Codebase→ Unity Engine→ Rigidbody 2D→ Add Force（Force）で作成します。

🐦 Set VelocityとAdd Forceの違い

Set VelocityとAdd Forceは、どちらもオブジェクトを動かすためのノードですが、その違いはどこにあるのでしょうか？

Set Velocityは、物体を一定速度ですぐに動かせるようにしたい場合に使用します。一方でRigidbody 2DのMassの値（181ページを参照）が影響されないなど、現実の物理的な挙動とは異なる動きになります。

Add Forceを使うと、オブジェクトが徐々にスピードを上げて動くようになります。減速する時も、徐々にスピードが落ちていきます。そのため、Add Forceを使うことによって、現実世界の物理挙動に似た物体の動きを再現することが可能になります。

ブロックの消去とスコアの追加

ブロックは、ボールが接触すると消去されます。そして、スコアの値を「1」増やします。ここでは、**ブロックを消去する**機能と、**スコアの値を増やす**機能を解説します。

ブロックのオブジェクト

ブロック（Block）には、コライダー（Box Collider 2D）とスクリプトマシン（Script Machine）がアタッチされています。

コライダー

ボールと当たり判定を行うために、コライダー（Box Collider 2D）をアタッチしています。デフォルトのままで、特に設定の追加はありません。

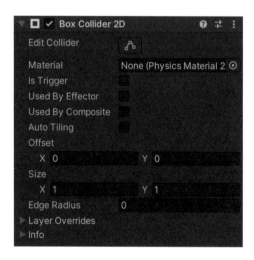

スクリプトマシン

ここでは、Blockというスクリプトグラフを追加しています。Blockに、ブロックを消す機能と、スコアを追加する機能を作成します。

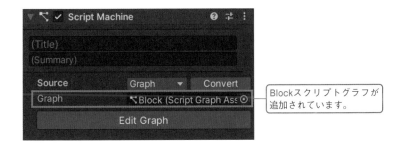

Blockスクリプトグラフが
追加されています。

ブロックを消す機能

Blockスクリプトグラフの全体は、次のようになっています。まずは、ブロックを消す機能
を見ていきます。

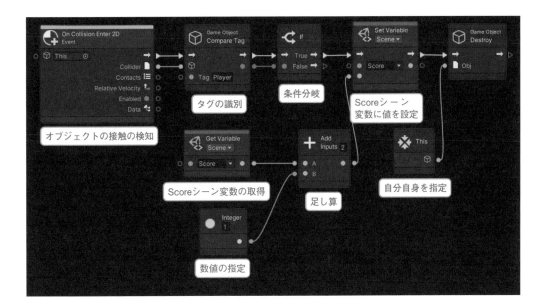

◉ タグの識別

On Collision Enter 2Dは、オブジェクトの接触があった時に呼び出されるノードです
（88ページを参照）。**Compare Tag**ノードで、接触した相手のオブジェクトのタグを確認し
ています。

ここでは、接触した相手に「Player」タグを設定されていると「True」、それ以外のタグの場
合は「False」を出力します。タグについては、92ページを参照してください。

Compare Tag

Compare Tagは、オブジェクトに設定されているタグを確認するノードです。Tagに指定したタグが設定されている場合は「True」は、そうでない場合は「False」を出力します。

Codebase→Unity Engine→Component→Compare Tag（Tag）で作成します。

◉ 処理の分岐

Ifノードは、「True」か「False」で処理を分岐します（98ページを参照）。Compare Tagノードが「True」の場合は次の処理に進み、「False」の場合は何も行いません。

◉ ブロックの消去

Ifノードが「True」の場合は、Set Scene Variableノードでスコアの点を追加して、ブロックを消去します（スコアの追加は後ほど解説します）。

Destroyは、オブジェクトを消去するノードです。Objに消去するオブジェクトを指定します。ここではThisノードを接続して、自分自身のオブジェクトを削除しています（153ページを参照）。

Set Scene Variable

Set Scene Variableノードは、シーン変数の値を設定します。シーン変数は、そのシーン上のどのオブジェクトからでも利用可能な変数です。

Variables→Scene→Set Scene Variableで作成します。

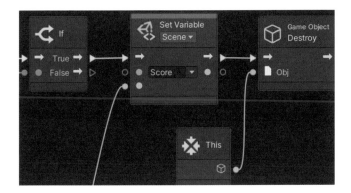

スコアを追加する機能

続けて、スコアを追加する機能を解説します。ここでは、**シーン変数**（Scene Variable）という仕組みを利用しています。

シーン変数を取得する

Get Scene Variableは、シーン変数を取得するためのノードです。

シーン変数は、シーン上のどのオブジェクトからも利用可能な変数で、VisualScripting SceneVariablesオブジェクトのVariablesコンポーネントで設定します。ここでは、他のスクリプトグラフからもScore変数の値を追加できるように、シーン変数の仕組みを利用しました。

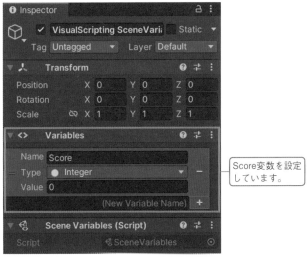

Score変数を設定しています。

Get Scene Variable

Get Scene Variableノードは、シーン変数を取得します。シーン変数は、そのシーン上のどのオブジェクトからでも利用可能な変数です。

Variables→Scene→Get Scene Variableで作成します。

得点の計算

ブロックが1つ消されると、スコアが「1」追加されます。

Addは、足し算を行うノードです。ここでは、Scoreシーン変数の値と**Integer Literal**ノードに指定された値（1）を足し算した結果を出力しています。

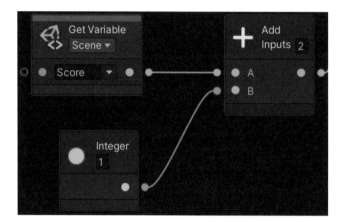

Add

Addは、足し算を行うノードです。Inputsで指定された数の値（ここでは2つ）を足し算します。

Math→Generic→Addで作成します。

Integer Literal

Integer Literalは、数値を指定するためのノードです。

Codebase→System→Integer→Integer Literalで作成します。

変数の設定

Set Scene Variableは、シーン変数に値を設定するノードです。ここでは、Addノードから渡された値を、Scoreシーン変数に設定します。

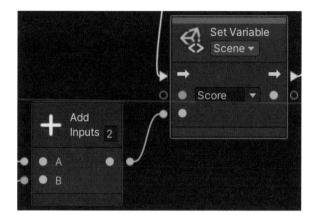

変数の種類

　ビジュアルスクリプティングの変数（Variable）には、次のような種類があります。

・**Graph**はそのスクリプトグラフ内でしか利用できない変数です。
・**Object**はそのオブジェクトに追加したスクリプトグラフ内のみで利用できる変数です。
・**Scene**はそのシーン内であればどこからでも利用できる変数です。
・**App**は他のシーンからでも利用できる変数です。
・**Saved**は他のシーンからも利用でき、なおかつローカル保存される変数です。

　通常、オブジェクトを選択してインスペクターウィンドウの「Variables」から変数を設定する場合は、「Object」変数になります。しかし、「VisualScripting SceneVariables」オブジェクトから変数を設定した場合は、シーン内で共有される「Scene」変数に自動的になります。
　例えば、ゲームのスコアのための変数をVisualScripting SceneVariablesで設定することで、複数のスクリプトグラフから同じ変数を取得して、スコアの値を変えたりすることが簡単にできるようになります。

05 スコアの表示

　Scoreシーン変数を使って、**スコアの表示**を行いましょう。ブロックが消去されるごとに、スコアを更新していきます。

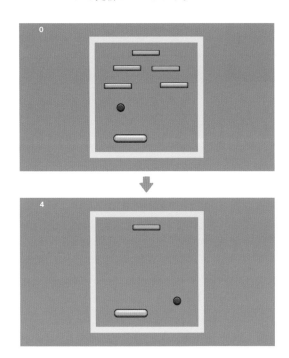

UI用のパーツ

　Unity 2D UIは、スコア表示やタイトル画面のスタートボタンなど、さまざまなユーザーインターフェイス（UI）に利用されるパーツです。ここでは、そのなかから、スコア表示に**TextMeshPro**を利用しています。

　ヒエラルキーウィンドウの＋→UI→Text - TextMeshProで追加します。UI用のパーツを追加すると、ヒエラルキーウィンドウに**Canvas**オブジェクトが追加され、その子オブジェクトとしてパーツが配置されます。ここでは、追加されたパーツの名前を「ScoreText」に変更しています。

テキストの表示位置は、**Rect Transform**コンポーネントで設定します。

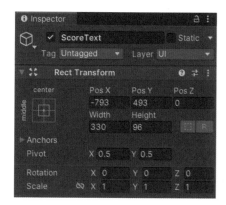

表示するテキストの内容は、**TextMeshPro - Text**コンポーネントで行います。文字の大きさやフォント、表示する内容など、自由に設定可能です。

ライブラリを追加する

Memo

　TextMeshProをビジュアルスクリプティングから利用するためには、「Unity.TextMeshPro」ライブラリが必要です。ライブラリがインストールされていない場合は、追加を行ってください。

　Unityエディターの Edit→Project Settings メニューで「Project Settings」ウィンドウを開き、Visual Scripting→Node Libraryで「Unity.TextMeshPro」を追加し、Regenerate Nodesボタンをクリックします。これで、TextMeshProがビジュアルスクリプティングで使用可能になります。

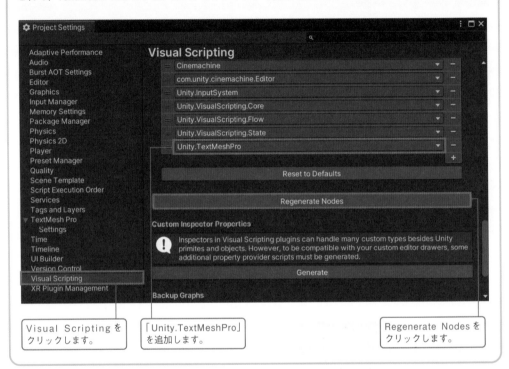

Visual Scripting を
クリックします。

「Unity.TextMeshPro」
を追加します。

Regenerate Nodes を
クリックします。

スコアを管理するオブジェクト

スコアを管理するために、**空のオブジェクト**を追加しています。名前を「ScoreTextManager」と変更して、スクリプトマシンをアタッチしています。そして、スコアを表示するための ScoreManagerスクリプトグラフを追加しています。

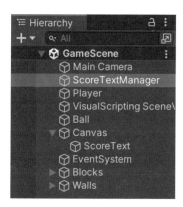

ScoreText変数を設定しています。

スクリプトマシンをアタッチし、ScoreManagerスクリプトグラフを設定しています。

スコアを表示する機能

スコアを表示するためのScriptManagerスクリプトグラフは、次のようになっています。
シーン上のTextMeshProにScoreシーン変数の値を設定しています。

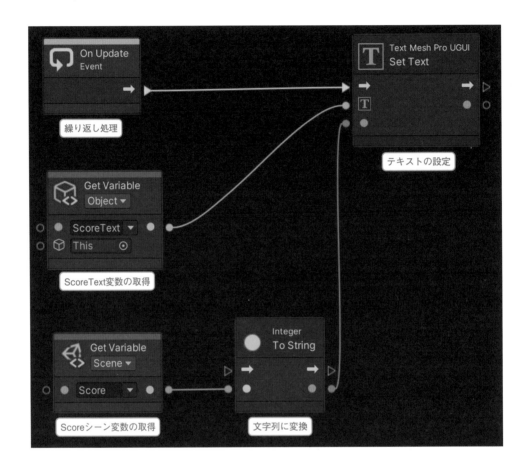

◉ シーン変数を取得する

Get Scene Variableノードで、Scoreシーン変数を取得しています。Scoreには、現在の
得点が設定されています。Integer To Stringは、数値を文字列に変換するノードです。

Integer To String

Integer To Stringノードは、値のデータ型をString（文字列を扱うデータ型）に変換します。Score
シーン変数は、データ型にFloat（数値）が指定されています。TextMeshProで表示するために、変数か
ら取得した数値を文字列に変換しています。

Codebase→System→Integer→To Stringで作成します。

◉ 表示を更新する

Text Mesh Pro UGUI Set Textノードは、TextMeshProに表示するテキストを設定しま
す。

On UpdateからText Mesh Pro UGUI Set Textに接続することで、スコアが更新された
際に、すぐに表示も更新されるようになっています。

Get Object Variableノードで、表示を更新するTextMeshProを取得しています。

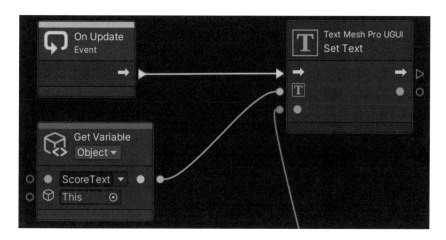

表示を更新するTextMeshProは、ScoreTextManagerオブジェクトの**ScoreText**変数で指
定しています。

Typeを「**Text Mesh Pro UGUI**」にすることで、Valueにシーン上にあるTextMeshProを指
定することができます。

表示するテキストはScoreTextシーン変数を文字列に変換したものです。

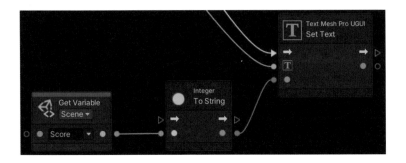

Text Mesh Pro UGUI Set Text

Text Mesh Pro UGUI Set Textは、TextMeshProに表示するテキストを設定するノードです。
2段目にテキストを設定するTextMeshProを指定します。ここでは、ScoreTextシーン変数を使って指定しています。3段目には、設定するテキストを指定します。ここでは、ScoreTextシーン変数を取得しています。ScoreTextシーン変数は、ブロックが消去されるたびに更新されるので、最新のスコアが表示されるようになります。
Codebase→TM Pro→Text Mesh Pro UGUI→Set Textで作成します。

完成

これで「ブロック崩し」の解説は完了です。シーン上に配置するブロックの数や、壁で囲んだステージの広さは自由に変更することができます。
プレイヤー動かすPlayerControllerスクリプトグラフは、他のキャラクターに適用しても同じように動かすことができます。スコアを追加する機能も、他のゲームを制作する際に役立つでしょう。

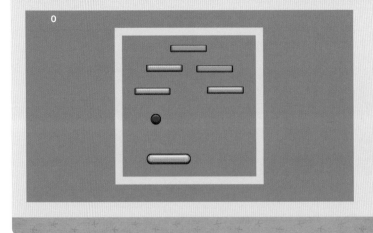

\\ **Chapter 6** //

ビジュアルスクリプティングの
学習 ❷

前章に引き続き、Unityの機能やビジュアルスクリプティングの学習を進めていきましょう。

この章では「ニワトリ飛ばし」ゲームを例に、ここまでに紹介できていない機能を中心に解説していきます。クリックでオブジェクトを発射する機能、オブジェクト同士を連結する機能など、さまざまなゲームで使える機能をビジュアルスクリプティングで実現する方法を紹介します。

01 「ニワトリ飛ばし」の概要

　　ここまでの章では、Unityのさまざまな機能と、それをビジュアルスクリプティングから利用する方法を紹介してきました。しかし、Unityには紹介しきれないほどの機能が備わっています。ここでは、これまでに紹介していない機能を取り上げて解説していきたいと思います。

　　この章では、次のような「ニワトリ飛ばし」ゲームを例に解説を行います。マウスをクリックした位置に向かってプレイヤー（ニワトリ）を飛ばします。画面中央の球体にぶつかると、その場にプレイヤーがぶら下がります。落下したプレイヤーを消去する仕組みも用意します。サンプルのプロジェクトをUnity Hubから開いて、ゲームを実行しながら動作を確認していきましょう。

　　サンプルのプロジェクトは、本書のサポートページからダウンロード可能です。ダウンロードならびにプロジェクトの開き方は、5ページを参照してください。

 ### ニワトリ飛ばし

マウスをクリックすると、カーソルの位置に向けてニワトリが飛んでいきます。ニワトリを飛ばして、画面中央の緑の球体にぶら下げていきましょう。

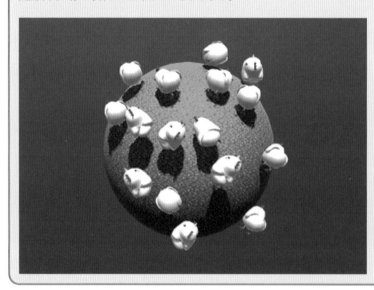

📁サンプル
「Sample」→「NiwaMori」

「ニワトリ飛ばし」の構成

ニワトリ飛ばしのプロジェクトは、次のようなオブジェクトで構成されています。各オブジェクトの役割は、表をご確認ください。

◉ 「ニワトリ飛ばし」の構成

Main Camera	シーン全体を映しているカメラです。ニワトリ飛ばしでは、Main Cameraからプレイヤーを発射します。
Directional Light	シーン全体を照らすライトです。
Ball	プレイヤー（ニワトリ）を飛ばす際の標的になります。
Wall	Ballの後ろにある壁のオブジェクトです。
DeadZone	プレイヤーが下に落ちた際に、プレイヤーを消してくれる判定用のオブジェクトです。

スクリプトグラフ

ニワトリ飛ばしには、次の3つのスクリプトグラフがあります。それぞれの役割は、表をご確認ください。

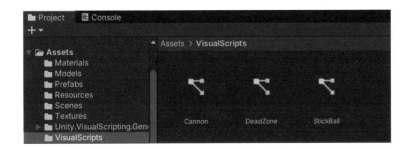

◉ スクリプトグラフ

Cannon	Main Cameraに設定されています。マウスの左クリックでプレイヤーを飛ばします。
DeadZone	DeadZoneに設定されています。プレイヤーが下に落ちていった際に、プレイヤーのオブジェクトを消去します。
StickBall	Ballに設定されています。プレイヤーをボールにくっつけます。

◉ オブジェクトの配置

画面の中央にくるように**ボール**（Ball）を、ボールの背後には**壁**（Wall）を配置します。カメラは、ボールを中央に捉える位置で、少し見下ろす感じに配置されています。

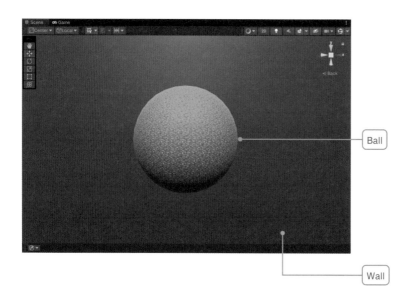

ボールと背後の壁のさらに下側に**デッドゾーン**（DeadZone）を配置します。落下してデッドゾーンに触れたプレイヤーを消去するようにします。

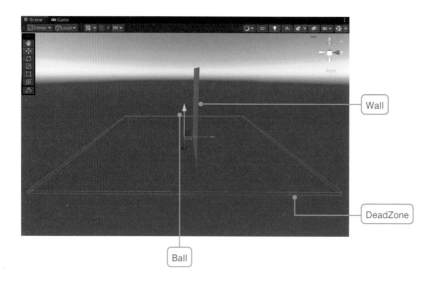

プレイヤー

「Prefabs」フォルダにPlayerプレハブが用意されています。ニワトリ飛ばしでは、マウスがクリックされるとPlayerプレハブからオブジェクトを生成して、クリックした位置に向かって発射します。

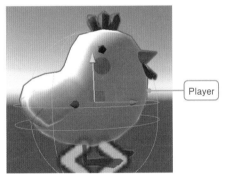

Player

プレイヤーにはBulletタグが設定されています。タグについては、92ページを参照してください。さらに、物理挙動と当たり判定のために、リジッドボディとコライダーもアタッチされています。

Bulletタグでプレイヤーを
識別します。

02 プレイヤーを飛ばす機能

ニワトリ飛ばしを実行してみましょう。

画面上をクリックすると、クリックした位置に向かってプレイヤー（ニワトリ）が飛んでいきます。プレイヤーがボールに命中すると、命中した位置にくっつきます。

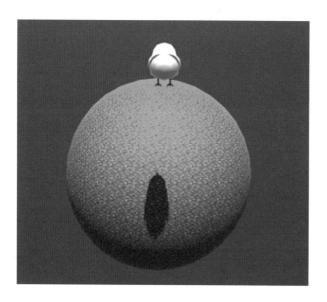

プレイヤーを飛ばすための仕組み

プレイヤーを飛ばすためのスクリプトグラフがCannonです。このスクリプトグラフは、カメラ（Main Camera）に追加されています。

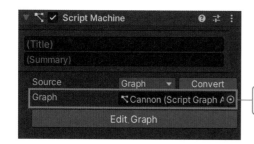

Cannonスクリプトグラフが追加されています。

プレイヤーは、カメラの位置からクリックされた位置に向かって飛んでいきます。これには、**レイ**（Ray）という機能を利用しています（レイについては、後ほど解説します）。

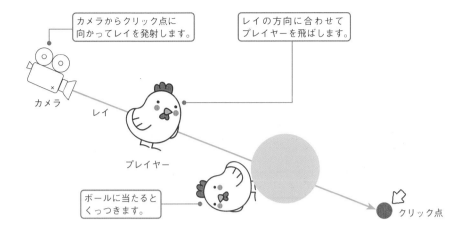

カメラからクリック点に
向かってレイを発射します。

レイの方向に合わせて
プレイヤーを飛ばします。

カメラ

レイ

プレイヤー

ボールに当たると
くっつきます。

クリック点

　プレイヤーを飛ばすための「Cannon」スクリプトグラフは、3つのブロックで構成されています。

①プレイヤーを生成するブロック
②飛ばす方向を決めるブロック
③プレイヤーを飛ばすブロック

　まずは、プレイヤーを生成するブロックから解説していきましょう。

プレイヤーを生成する

　プレイヤーを生成するブロックは、次のようになっています。

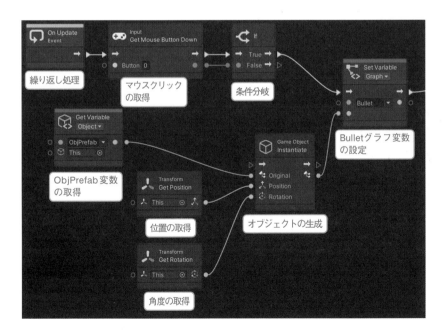

◉ マウスクリックされたかを判定する

　　Get Mouse Button Downは、マウスクリックされた時に呼び出されるノードです（129ページを参照）。Ifノード（98ページを参照）と組み合わせることで、「マウスがクリックされたら処理を実行する」という機能を作ることができます。それをOn Updateに繋げることで、実行中は常に処理を繰り返せるようにしています。

◉ プレイヤーのオブジェクトの生成

　　Instantiateはオブジェクトを生成するノードです（162ページを参照）。生成するオブジェクトはObjPrefab変数で指定しています。生成する位置をGet Positionノード、角度をGet Rotationノードで指定します（162ページを参照）。

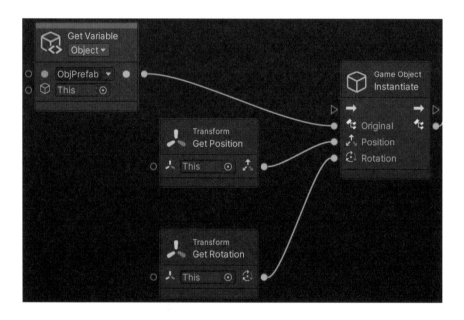

　　ObjPrefab変数は、Main Cameraの「Variables」コンポーネントで設定しています。Typeで「Game Object」を選択し、Valueにオブジェクトの元となるプレハブをドラッグ＆ドロップで指定します。ここではPlayerプレハブを指定しています。

　　プレイヤーを飛ばす力を指定するPower変数も用意されています。Typeで「Float」を選択して、Valueに数値を入力して指定します。

変数にオブジェクトをセットする

Set Graph Variableは、**グラフ変数**の値を設定するノードです。

2段目に、値を設定するグラフ変数(ここでは「Bullet」)を指定します。3段目には、設定する値を指定します。ここでは、ObjPrefabを生成して、生成したオブジェクトをBulletに設定しています。BulletではなくObjPrefabを直接飛ばしてしまうと、ObjPrefabがDeadZoneに落ちて削除された場合、もう飛ばすことができなくなるからです。それをIfノードと繋げることで、「マウスクリックされるたびにオブジェクトを生成する」ことができるようになります。

グラフ変数は、そのスクリプトグラフ内だけで使用できる変数です。スクリプトグラフの画面内で指定します。

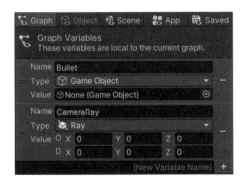

Bulletグラフ変数は、Typeで「Game Object」を選択し、Valueは何も設定していません。
Set Graph Variableノードで、この変数のValueに生成するオブジェクトを指定しています。
CameraRayというグラフ変数も用意されています。こちらは後ほど解説します。

Set Graph Variable
- -

Set Graph Variableノードは、グラフ変数に値を設定します。
Variables→Graph→Set Graph Variableで作成します。

▋飛ばす方向を決める

飛ばす方向を決めるブロックは、次のようになっています。飛ばす方向を決めるために、**レイ**（Ray）という仕組みを利用しています。

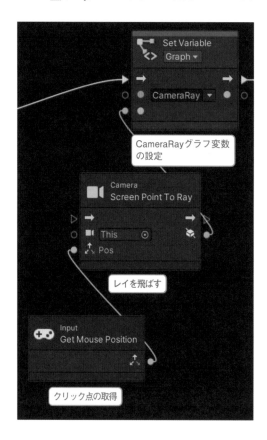

Get Mouse Positionは、マウスカーソルの位置（クリック点）を取得するノードです。
Screen Point To Rayノードは、カメラの位置から対象物へ向けてレイを発射します。レイは、カメラと対象物を結ぶ光線のようなもので、方向などの情報を含んでいます。ここでは、レイの持つ情報を使って、プレイヤーを飛ばす方向を決めています。

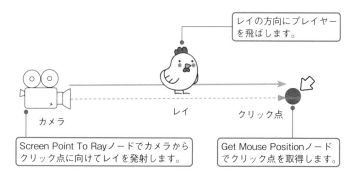

レイの方向にプレイヤーを飛ばします。

カメラ

レイ

クリック点

Screen Point To Rayノードでカメラからクリック点に向けてレイを発射します。

Get Mouse Positionノードでクリック点を取得します。

レイの情報を、**Set Graph Variable**ノードでCameraRayグラフ変数に設定します。CameraRayグラス変数はTypeで「Ray」を選択しているので、レイの情報（レイの原点とレイが飛んでいく方向）を受け取ることができます。

Get Mouse Position

Get Mouse Positionノードは、マウスカーソルの位置を取得します。

Codebase→Unity Engine→Input→Get Mouse Positionで作成します。

Screen Point To Ray

Screen Point To Rayノードは、現在シーンを写しているカメラの位置（ここではMain Camera）から、対象物へ向けてレイを飛ばします。ここでは、カメラからマウスカーソルの位置へ向けて例を飛ばしています。

Codebase→Unity Engine→Camera→Screen Point To Ray（Pos）で作成します。

プレイヤーを飛ばす

プレイヤーを飛ばすブロックは、次のようになっています。

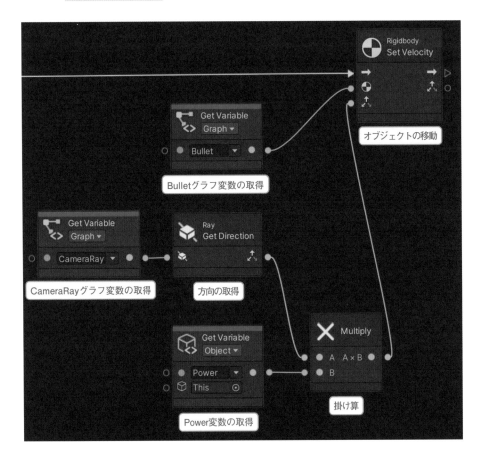

Get Directionノードで、レイから方向の情報を取得します。取得するレイはCameraRay
グラフ変数に設定されているので、**Get Graph Variable**ノードで取得して設定します。

取得した方向と**Get Object Variable**ノードで取得したPower変数の値を**Multiply**ノード
で掛け合わせて、飛ばす向きと強さを決めます。

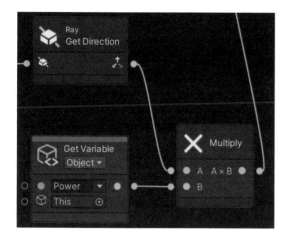

そして、**Set Velocity**ノード（131ページを参照）で移動させます。移動するオブジェクト
は、**Get Graph Variable**ノードでBulletグラフ変数を取得して指定します。

「Power」の値を変更すれば、簡単に飛行スピードを変えることができます。

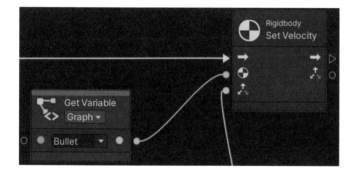

Get Direction

レイは、方向や距離といったデータを持っています。**Get Direction**ノードは、そのなかから方向を
取得します。

Codebase→Unity Engine→Ray→Get Directionで作成します。

ボールにプレイヤーをくっつける機能

ボールにぶつかったプレイヤーは、その場にくっついてぶら下がります。**ボールとプレイヤーをくっつける**ために、**Character Joint**コンポーネントを利用しています。これは、オブジェクトとオブジェクトを関節で繋ぐような働きをします。

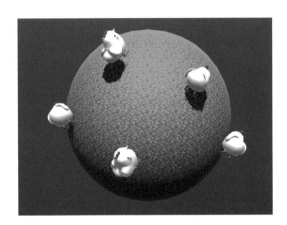

ボールのコンポーネント

ボールには、StickBallスクリプトグラフが追加されています。その他には、リジッドボディやコライダーなどがアタッチされています。

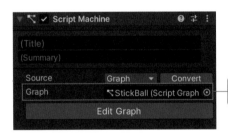

StickBallスクリプトグラフが追加されています。

ボールをくっつける

ボールをくっつけるStickBallスクリプトグラフは、次のようになっています。ボールに接触したプレイヤーのオブジェクトに**Character Joint**コンポーネントをアタッチします。

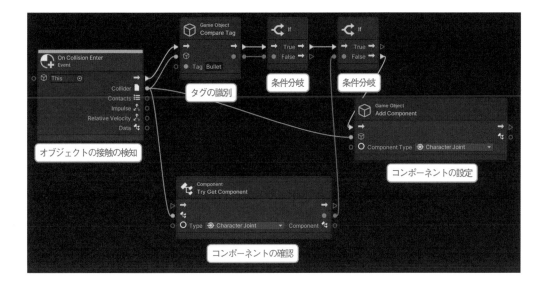

タグの識別

　Compare Tagノードで、接触したオブジェクトにBulletタグが設定されているかどうかを判定しています（188ページを参照）。プレイヤーにはBulletダグが設定してあるので、接触したのがプレイヤーかどうかが判定できます。

　Ifノードと組み合わせることで、「接触したのがプレイヤーだったら実行」という機能を作ることができます。

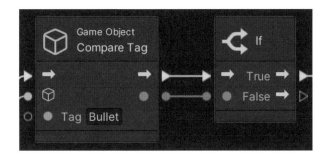

コンポーネントの確認

　Try Get Componentノードで、接触したオブジェクトにCharacter Jointコンポーネントがアタッチされているかどうかを確認しています。このノードがないと、プレイヤーがボールに当たった角度によっては複数のCharacter Jointコンポーネントがアタッチされてしまうことがあります。そのため、1つしかアタッチされないようにチェックしています。

　指定したコンポーネントがアタッチされている場合は「True」、されていない場合は「False」を出力します。Ifノードと組み合わせることで、「アタッチされていない場合は実行」という機能を作ることができます。

Try Get Component

Try Get Componentは、オブジェクトにコンポーネントがアタッチされているかどうかを判定します。Typeに判定するコンポーネントを指定します。

Codebase→ Unity Engine→ Component→ Try Get Component（Type,Component）で作成します。

◉ コンポーネントのアタッチ

Add Componentノードで、Character Jointコンポーネントをプレイヤーにアタッチします。

Add Component

Add Componentノードは、指定したコンポーネントをオブジェクトにアタッチします。アタッチするコンポーネントはComponent Typeに指定します。

Codebase→ Unity Engine→ Game Object→ Add Component（Component Type）で作成します。

Character Jointコンポーネントで接続する

Character Jointコンポーネントを使えば、オブジェクトを繋ぐことができます。繋がったオブジェクトは物理挙動の影響を受けて、ぶら下がったような動きを見せます。

Connected Bodyに接続先のオブジェクトを指定できますが、サンプルのように「None」となっている場合は、接触したオブジェクトのリジッドボディに接続されます。

04 落下したプレイヤーの消去

デッドゾーン（DeadZone）は、ボールにくっつくことができなかった**プレイヤーを消去**する役割として配置されています。

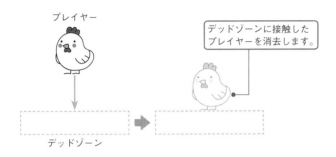

プレイヤー

デッドゾーンに接触した
プレイヤーを消去します。

デッドゾーン

デッドゾーンは、次のように画面の下に配置されています。また、デッドゾーンには当たり判定用のコライダーが追加されています。コライダーの Is Trigger にチェックを入れることで、通過判定が取れるようになっています。

さらに、DeadZone スクリプトグラフが追加されています。

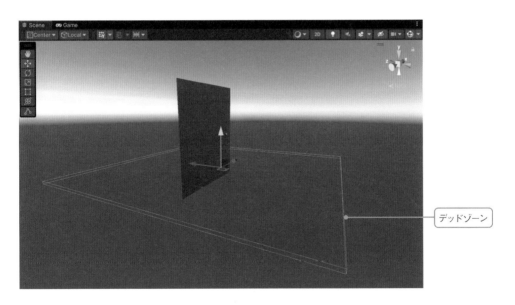

デッドゾーン

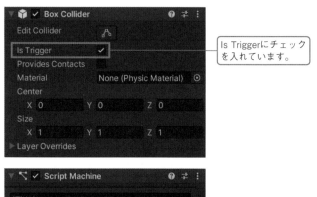

Is Triggerにチェック
を入れています。

DeadZoneスクリプトグラフ
が追加されています。

Memo

判定用のエリア

コライダーのIs Triggerにチェックを入れると、通常の当たり判定ではなく、**オブジェクトが通過した
かを判定するエリア**としてコライダーを使用できるようになります。オブジェクト（アタッチされたコラ
イダー）が接触すると、エリアに侵入したと見なされます。

なお、Is Triggerをチェックすることで、通常の当たり判定は行われなくなります。接触したオブジェ
クトは、そのまますり抜けていってしまいます。

▍プレイヤーの消去

プレイヤーを消去するDeadZoneスクリプトグラフは、次のようになっています。

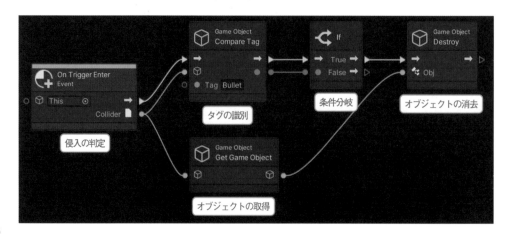

216

On Trigger Enterノードは、判定用のエリアにオブジェクトが侵入したタイミングで呼び出されます。

Compare Tagノードで通過したオブジェクトにBulletタグが付いているかどうかを判定します。Ifノードに接続することで、「Bulletタグが付いていた場合」に処理を行います。

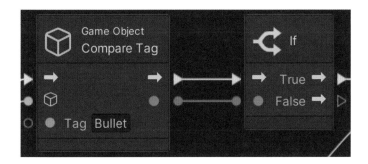

Get Game Objectノードは、接触したオブジェクトを取得します（89ページを参照）。Destroyノードは、Objに指定されたオブジェクトを消去します。

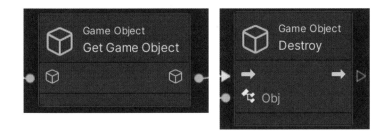

On Trigger Enter

On Trigger Enterノードは、Is Triggerにチェック入れたコライダーに、他のコライダーが接触した際に呼び出されます。

Events→Physics→On Trigger Enterで作成されます。

完成

以上で「ニワトリ飛ばし」の解説は終了です。クリックでオブジェクトを飛ばす仕組みなど、ゲームの制作に役立つテクニックを紹介しました。

　　　本書では、Unityでコンテンツを作る際の手順や、ビジュアルスクリプティングの基本について解説してきました。また、Unity独自の機能であるリジッドボディやコライダー、マテリアルなどの利用法も解説しています。

　Unityは、一冊の本では語り切れないほど、多くの機能を持ったツールです。本書では、ほんの触りの部分だけしか解説できていませんが、本書の内容だけでも、さまざまなコンテンツを制作する際の強力な手助けとなるはずです。本書で学んだことを活かして、コンテンツ制作にチャレンジしてみてください。

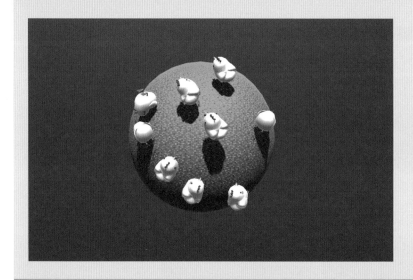

おわりに

　最後まで本書を読んでいただきありがとうございました。この本を通して、Unityにさらに興味を持っていただけたら大変うれしく思います。

　今回、これまで執筆をさせていただいていた「Unity入門シリーズ」をビジュアルスクリプティングを主軸に変更した形で本書を執筆させていただきました。

　近年では、Unityはゲーム制作にとどまらずリアルと融合したエンタメや、医療や自動運転の研究など、さまざまなコンテンツ制作にも採用されるようになってきました。また、誰でも現場のプロと同じクオリティで絵作りができるように、これまで有料だったさまざまな機能を誰でも使えるように無料で開放されてきています。ビジュアルスクリプティングもまたこうした動きのなかで登場したもので、プログラム経験がない人でも簡単に取り扱えるようにデザインされています。

　今や誰もがUnityでプロと同じツールを使えるようになり、ビジュアルプログラミングを利用すればプログラマーでなくともプログラムを作れるような時代になりました。業界に関わらず誰もがクリエイターになれる世の中になりつつあることを日々感じています。

　よりUnityを学びたくなったのなら、インターネットを活用してください。全世界の先人達のこれまでの知識と経験が蓄積されています。民主化を進めてきたからこそ初心者からプロレベルまで幅広い人の知識を探すことができます。あきらめずに頑張れば難しい課題も少しずつ前に進めることでしょう。

　ゲーム開発の9割は情熱で残りが技術であると我々は考えています。まず、情熱がなければ良いアイディアも生まれませんし、面白いゲームにはなりません。最初のうちは、技術は作りたいものを作るための手段として必要な分だけ習得すれば十分です。そしてそれらを積み重ねていくことであなたの思い描いていたゲームが完成しますし、クリエイターとしてのレベルも上がります。

　もし、あなたがゲームクリエイターを目指すのであれば、作りたいゲームを1本完成させてみてください。そして、余裕があれば、友人やネットに公開してみましょう。完成させるのはとても難しいことですが、そこに到達するまでに多くのことを学ぶことでしょう。それができたのなら、あなたはクリエイターとして1つ上のステージに上がっているはずです。この本をきっかけに、あなたが夢見ていた素敵なゲーム開発の第一歩を踏み出せることを願っています。

荒川巧也、浅野祐一

Index

■本書サポートページ

https://isbn2.sbcr.jp/18223/

本書内で紹介しているサンプルプロジェクトならびに素材ファイルは、本書サポートページからダウンロードすることができます。上記のURLをご参照ください。

また、本書をお読みになったご感想、ご意見など、お気づきになった点がございましたらお寄せください。

著者プロフィール

✕ 荒川 巧也

ユニティ・テクノロジーズ・ジャパン株式会社所属。ユニティでは主に産業向けのお客様に対してUnityの使い方のレクチャーからUnityを使ったコンテンツ開発まで、お客様の要望に合わせて技術的な対応を行っている。趣味はゲームをプレイすることと美味しいものを食べること。

✕ 浅野 祐一

現役ゲームエンジニア。過去にコンシューマーゲーム開発に携わっていたが、Unityと出会ってからはスマートフォンゲームのクリエイターとして活躍中。好きな動物はひよこと鶏。

ユ ニ ティ　ちょう　にゅうもん
Unity [超] 入門

2023年10月6日　初版第1刷発行

著者	あらかわ たくや　あさの ゆういち 荒川 巧也　浅野 祐一
発行者	小川 淳
発行所	SBクリエイティブ株式会社 〒106-0032　東京都港区六本木2-4-5 TEL 03-5549-1201（営業） https://www.sbcr.jp
印刷	株式会社シナノ
本文デザイン/組版	クニメディア株式会社
装丁	宮下 裕一
イラスト	畠山 剛一

Printed in Japan ISBN978-4-8156-1822-3